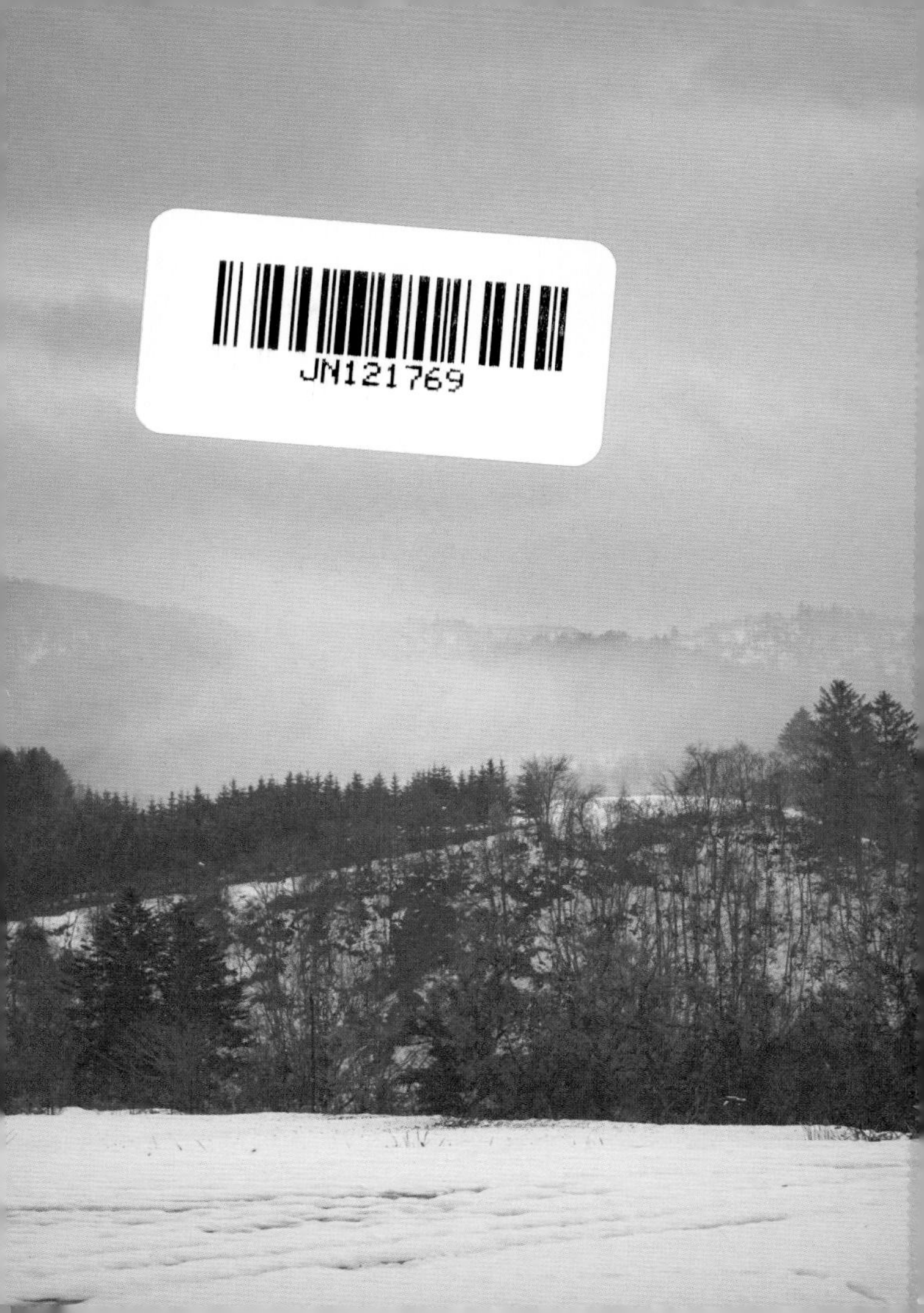

北海道岩見沢市の山あい。炭鉱で栄えて、かつては万字線が走っていた。この沿線と周辺地区は東部丘陵地域と呼ばれ、さまざまなエリアに分かれている。今回取り上げるのは美流渡《みると》、毛陽《もうよう》、万字《まんじ》地区に暮らす人々。北海道教育大学岩見沢校の学生たちが考えた質問に地域の人々が答える形で取材を行った。

過疎化が進む一方で移住者が増えている。上美流渡には花のアトリエがある。大和田誠さん、由紀子さんはガーデンで花を育て、それを使ったアレンジをしたいと神奈川から移住した。

上美流渡に22年前に移住してパン屋を始めた中川達也さんと文江さん。外観写真は引っ越してきた当時の住居兼店舗。現在は達也さんが10年かけてセルフビルドした新店舗でパンを焼く。

毛陽には学生たちが営むシェアハウス「ヌカカ」がある。中心となっているのは大学と連携しながらスポーツクラブを経営する辻本智也さん。スポーツによる地域活性を模索している。

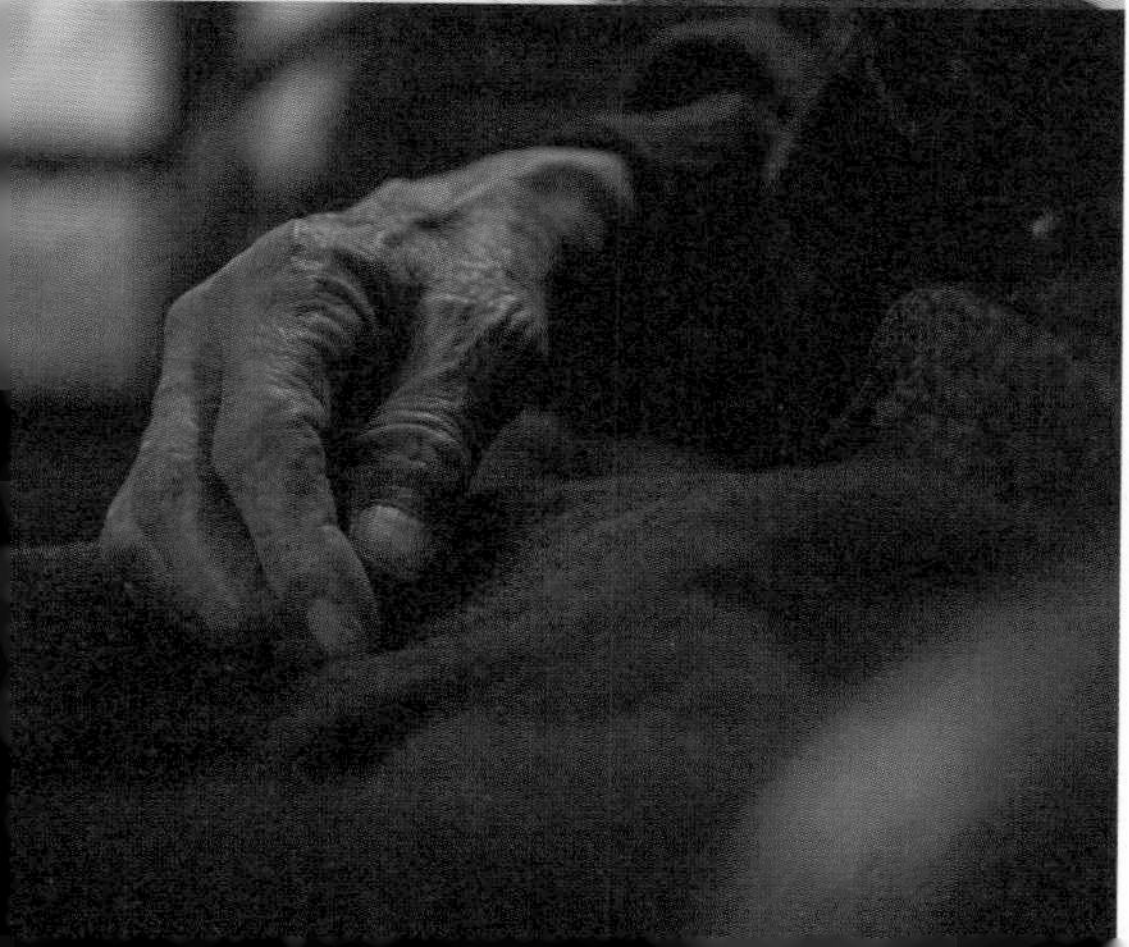

幼少時代に美流渡に引っ越し、左官職人として働いてきた細川孝之さん。小学校のグラウンドに仲間とスケートリンクをつくった思い出を目を細めながら語ってくれた。

つつみ百貨店を営み、美流渡の町内会の会長も務める堤理光さん。食料品やお酒の販売、クリーニングの受付などさまざまな仕事を一人でこなす。お店が少なくなるなかで地域を支える。

Q
001

どうして不便なところに住んでるの?

はじめに

コロナ禍によって生まれた本

北海道岩見沢市は道内有数の豪雪地帯。２０２０年12月は、観測史上最多の積雪に見舞われ、交通網は大混乱。学校も一部が休校になり、全国ニュースで取り上げられた。本書の編集者である私は10年前に東京から岩見沢へ移住して以来、市外に住む人々から「あそこは雪が多くて住むのは大変でしょ」と言われることが度々あった。そして3年前に市内の東部丘陵地域と呼ばれる山あいの地区に引っ越してからは、今度は市街の人々から「あそこは不便で住むのは大変でしょ」と言われることとなった。確かに大きなスーパーもなく駅まで車で約30分かかる。しかし、私も含め住んでいる人は当然ながらそれを受け入れている。そして最近、少しずつ移住者も増えてきている。

豪雪と不便さを併せ持つ地域になぜ人は住むのか？　地域外の人から見れば、それは「大変」という言葉で表したくなるのかもしれないが、住んでいる人の捉え方は違っているのではないだろうか？

こんな思いを持って、私は日々地域の人々に取材を行い、それをウエブなどで発表してきた。これらの活動を応援してくれていた北海道教育大学岩見沢校の教授・宇田川耕一先生から、学生を編集に参加させつつ、地域のことを一冊の本にまとめてはどうかというお誘いをいただいたことが、『いなかのほんね』刊行へとつながった。

その経緯はこうだ。岩見沢校では、一昨年より「万字線プロジェクト」という名で学生らがアートマネジメントについて学ぶ取り組みをスタートさせていた。万字線とは、かつて炭鉱が栄えた時代に、石炭輸送のために東部丘陵地域である上志文から万字までをつないでいた鉄道のことだ。このプロジェクトでは、閉山後に廃線となり急速に過疎化が進むこの地域の課題を学生が見出し、解決するための活動を行うというもので、昨年は閉校になった美流渡中学校の活用方法についてのアイデアを出し、体育館でイベントを行うなどの企画を展開してきた。2年目となる2020年、その活動をさらに深めようとしていた矢先にコロナ禍となってしまった。学校での授業の大半がオンラインになり、イベントやセミナーの開催が難しい状況に追い込まれた。

このプロジェクトの推進役である宇田川先生は、さまざまな制約があるなかで、学生たちを少人数グループに分ければ、東部丘陵地域でフィールドワークも可能ではないかと考えた。そこで地域の人々に学生たちがインタビューを行い、本にまとめるという企画の構想が生まれた。

インタビューをしたのは、美流渡《みると》、毛陽《もうよう》、万字《まんじ》に住む人々。炭鉱が活況を呈した時代を知る人から、昨年移住したばかりという人まで経歴はさまざまだが、このプロジェクトの趣旨であるアートマネジメントを学ぶという点から、地域のまちづくりに関わったり、芸術活動に関わったりしている10組にスポットを当てた。

学生たちは事前に取材者について調べ10問の質問を考えてインタビ

ューに臨み、そのやりとりを私がまとめることとした。ときどき突拍子もない質問もあったが、そうしたものもできるだけ取り入れて、その場の雰囲気を大切にした。予定調和を超えた質問によって、地域の人々の「本音」が炙り出されてくる瞬間があったからだ。

本書の第一問目は「どうして不便なところに住んでるの?」とした。この質問に対する明快な答えはないが、10組の言葉から、答えらしきものを感じ取っていただけたらうれしい。

美流渡、毛陽、万字は人口わずか500人ほど。大変ローカルな話をまとめた一冊ではあるが、便利さや効率を優先しない人々の生き方は、コロナ禍にあってもしなやかに生き延びる道のひとつを指し示しているんじゃないかと思っている。何より、本書の編集に参加した就職活動中の3年生にとって、新たな一歩を踏み出すエネルギーになったらと願っている。

2021年1月4日　美流渡在住・編集者　來嶋路子

01

大和田誠
大和田由紀子

おおわだまこと 53歳
おおわだゆきこ 52歳
上美流渡在住、花のアトリエ主宰

インタビュアー
白川千愛 21歳
平山紗也華 21歳
沼田崇至 21歳
佐々木海 21歳
高木祈命 21歳

岩見沢市の山あいには、かつて炭鉱があり賑《にぎ》わいを見せたエリアが点在する。そのひとつである美流渡から、さらに森の奥へと進んでいくと上美流渡という地区がある。閉山前は、ここにも商店が立ち並び、多くの住宅がひしめいていたというが、その面影はほとんど残っていない。住人の多くが土地を離れ今ではわずか30人ほどが暮らす。

こうした状況で、残った古家にポツポツと移住してきた人たちがいる。横浜からやってきた大和田さん夫妻は、２０１６年に花のアトリエ「カンガルーファクトリー」を開いた。庭で花も育てており、それらを素材にしたアレンジメントをつくっている。やわらかな笑顔で学生を迎え入れてくれた二人は、暮らしのことを包み隠さず話してくれた。

Q 002 どうして金土日しか営業しないんですか？

A ほかの日は庭をやったり、配達をしたり。お客さんをお待ちしている日も、外の仕事の日も、どっちも大切なことなので。—誠さん

静かな調子で誠さんは語り始めた。由紀子さんは傍で花のアレンジの下準備をしている。あらかじめ学生たちは質問を考えており、それを二人に渡しておいた。前日にどんな内容を話そうかと予行練習してくれていたという。こんなふうに、いつも二人はひとつひとつのことをおざなりにはしない。何事にも律儀に向き合おうとしている。

誠さんが質問に答えると、由紀子さんがフォローする。第一問の誠さんの答えに対して、由紀子さんは「納得できた？　もし納得しなかったら食いついてきてね（笑）」と学生に語りかけた。こんなやりとりのなかで、緊張気味だった学生たちの顔も緩み、和やかなムードで話が進んでいった。

Q 003

ここに来る前は横浜で活動をしていたそうですが、客層に違いはありましたか？

A

そんなにね、変わっていないです。知り合いからの紹介がほとんど。わかったうえで来ていただいているので、自然と気の合う人がお客さんになってくれています。——誠さん

「カンガルーファクトリー」は住まいに併設されたアトリエだ。玄関先に小さな看板があるものの、佇まいは普通の住宅。扉も閉まったままなので、何も知らなければ見過ごしてしまいそうだ。そんなこともあって、お客さんの多くは顔見知り。由紀子さんは「どちらかというと入りにくいですよね（笑）」と言いながら、理由をこう説明してくれた。

「なんでお店っぽくしないかっていうと、お店とアトリエの違いを保ちたいから。つね

にお客さんを相手にするのがお店。いつでも売る態勢でいなきゃいけない。でも私たちはこういう感じで、非常にゆっくりつくっている。アトリエは作業中心。それでもまったく封鎖した状態で作業していると、今度はお客さんがどういうものを求めているかが見えなくなってしまうから、金土日はアトリエオープン日にしている。で、そのときに私たちが素のままの、この仕事している状態でお迎えする。そんな感じです」

Q 004 なぜ、上美流渡に住もうと思ったんですか？

A 縁ですね。—誠さん

二人の歩みをここで振り返ってみよう。花に関わる人生のスタートは大学卒業後、全国にフラワーショップを展開する会社に入ったことからだ。この会社で二人は出会い１９９４年に横浜で独立。最初はスーパーの一角を借り、やがては駅前に花屋を出した。「一年中クリスマス（！）くらいな売り方をしていました。市場で仕入れたカーネーションを50本くらい１ケースに入れて売ったりとかね。毎日毎日たくさんの人が買いに

きたし、10分で花束つくってって言われることもあった。それはそれは忙しい日々で……」（由紀子さん）

働きづめのなかで由紀子さんは体調を崩してしまった。以降、店舗を持たず注文を受けてアトリエで制作するというスタイルに変えた。お店をやっていたころよりは落ち着きを取り戻したというが、それでも数多くの仕事をこなした。

「やっぱり、横浜のときは家賃が結構高かったですから。それをなんとか引き出さなきゃいけないっていうのは、どうしてもありました」（誠さん）

50歳になるまでに新しい一歩を踏み出したいと思っていた二人は、2014年、北海道に移住し、2年後に上美流渡に花のアトリエを開いた。移住するきっかけは、この地に22年前に移住してきた、森のパン屋「ミルトコッペ」の女将・中川文江さん（P43）とのつながりから。二人は横浜時代に、どこか田舎で暮らせる場所はないかと知り合いに声をかけていたという。

「具体的に空き家があるよって言ってくれたのが中川さんだったんです。それで下見に来て綺麗なところだったんで、すぐに移ろうと相当思い切りましたね」（誠さん）

由紀子さんも満点の星空を見て感動し移住を決意。二人は1か月で横浜のアトリエをたたみ北海道にやってきた。

「たまたま美流渡という場所だったんですが、いまにして思えばラッキーだったと思います」（誠さん）

Q 005
美流渡にきてから、暮らしに変化はありましたか？

A
そこまで収入のことを考えずに生活できるっていう安心感がずっとほしかったんです。ここはほんとにありがたい場所だなと思います。―由紀子さん

二人はひっそりと花のアトリエを始めた。チラシで宣伝したりもせず、淡々と仕事をした。上美流渡地区は、道行く人もほとんど見かけない場所だったこともあり、注文は多くはなかった。横浜時代のお客さんが関東から依頼してくれることもあったが送料は割高。購入者に全額を負担してもらうのは難しい状況だった。

「実は最初は、かなりまずかったです（苦笑）。冬はアトリエを閉めてしまうし、ほぼ

収入がなくなっちゃうんで、冬越せるかっていうのが、ずっと課題だったんですよ」（誠さん）

通帳の残高が、わずか2万円になったこともあったと打ち明けてくれた。

「最近口コミで広がってきたみたいです。知り合いがいろんな方を連れてきてくれるようになって。しかもリピーターが多いんですよね。大丈夫かなと思えたのは、実は今年からでした。僕たちそんなにもともとお金を使わないので、なんとか好きなことをやってても生きていけることが、ようやくわかりました」（誠さん）

「生きた心地のしない日々もありましたよ。生活できているのかできていないのか、わからないような波をずっと漂っていたような5年間でした」（由紀子さん）

Q 006

自分たちの庭で育てた花でフラワーアレンジメントをしている価値をどのように捉えていますか？

A

まぁ、趣味ですよね。—誠さん

趣味！　仕事じゃないのかい？—由紀子さん

花のアトリエオープンとともに、市から広い土地を借りて庭づくりも始めた。そこはセイタカアワダチソウなど外来種が繁殖する荒地だった。二人は草を刈り、レンガを敷いて道をつくり、少しずつ花のタネや苗を植えていった。殺風景だった場所に一輪、また一輪と花が咲くようになり、いまでは多様な草花が育ち、自家栽培の花だけでアレンジメントもつくれるようになった。花を自ら栽培しつつ、アレンジの注文も受けるというスタイルは、なかなか他で聞く機会は少ない。二人に理由をたずねると、通常はどちらか一方で手一杯になってしまうからだという。

「だから商売って考えるとこれはかなり効率が悪いので、やっぱり趣味っていうことなんです。それに楽しいですよ。市場で買うだけだと、ただ花が並んでいるだけですから。こちらに移ったんだから、もうちょっと踏み込みたかった。自分で育てれば、芽を出したころから見ることができるし、何より新鮮だし」（誠さん）

「私たちの仕事は必ず季節がともないます。例えばお正月やクリスマス。そしてその季節に合った植物がある。季節を感じるためには、自分たちで育てたものだったら間違いない。お客さんにもこの土地の季節を味わって欲しいと思っていて、それはやっぱり伝わるみたい。庭のものを使う、自給自足することにはこだわりがありますね」（由紀子さん）

Q 007 1日どれくらいの仕事をしているんですか?

A 夏は朝5時に起きて庭をやって、9時ぐらいから花をやって、夕方また庭をちょっとやって。—誠さん

「でも、そんなにぎゅうぎゅうにやってないですよ。友達が来たらお茶飲んだりしてますし」(誠さん)
「あの……、庭と花の仕事のバランスは難しいですが、きっとよく働く人というイメージの半分くらいしか働いていないと思います。ゆっくりのんびり朝昼夜とご飯食べてるし、飼っている猫もずっと抱いていたいし、掃除もキチンとしたいし。どこか急がないといけない暮らしはなるべくしたくない。これは私たちのなかでの、精一杯の時間軸だから」(由紀子さん)
由紀子さんの言葉に誠さんも頷いた。二人は仕事のときもそれ以外もずっと一緒。だからこそ精神状態をできるだけフラットに保つように心がけているのだという。

「花の注文がなくても、私たちにはありがたいことに庭の手入れという仕事があります。手入れに没頭すると感情的にならないでいられる。土と向かい合うからね」（由紀子さん）

Q 008
花の持つ力をどう考えていますか？

A
何もない部屋に、花を一輪飾ってみてください。世界が変わるから。―誠さん

花の持つ力についての質問に答えて、由紀子さんが学生たちの前にオレンジ色の花を活けてくれた。学生たちから「うわぁ」と歓声が上がった。何もないテーブルが急に生き生きとして見えた瞬間だった。

「部屋のなかって、無機質なものばかりですよね。そこに観

話をしながら、由紀子さんはサッと花を活けてくれた。

葉植物でもなんでもいいんですけど、一緒に生き物がいると落ち着いた感じになりますね」（誠さん）

「例えば、道端に生えていた花を持って帰ってきて、部屋に一輪活けてみる。活けるという行為は人間にしかできないこと。これはとても幸せなことですよね。花が飾ってあるテーブルに人を招くっていう、それは誰にでもできるちょっとしたもてなしかなって思っています」（由紀子さん）

Q 009

美流渡で暮らしていて幸せを感じるのはどんなときですか？

A

なんだろう、この場所がとても気持ちいいんですね。――由紀子さん

「なんでこんなに幸せに暮らせるのかっていうと、この場所が好きなんですね。つい先日、5年ぶりにここを離れて東北旅行をしたんですけど、帰りに八戸から船に乗って苫小牧に降り立った瞬間に、北海道がやっぱり最高だって思っちゃったんですよ～。北海

道という土地が伸び伸びとしていて暮らしやすいなと思った。そして、今度は上美流渡の山のなかに帰ってきたときに、またまた感動しました。こんなに静かでよいところに住んでたんだって。帰ってこれたのは幸せだったなあと。旅はいいですよ、ほんとに」（由紀子さん）

旅は二人にとってなくてはならないものだった。多忙を極めた横浜時代も、旅だけは欠かさなかった。多いときは年に3回、長期の時は1か月ほどお店を閉めてインドやネパールへ向かった。

「結果的に行かなくてよかっただろうと思った旅はひとつもない。ハードなものであればあるほど思い出深いし、死にかけてみても、やっぱりそれはそれでいい思い出になるし」（由紀子さん）

二人はヒマラヤへも旅し、標高4000メートル級の山でトレッキングしたことも。また、由紀子さんは1か月、ヨガの修行を体験したこともあったそうだ。

「いや、もうね～ダメかと思った。朝5時くらいから、まず最初に逆立ちから始めるの（笑）。でも、その経験があって、いまでも習慣になっています。庭につくったウッドデッキでやっているんですよ。朝一番にヨガをやるかやらないかで、なんかこう一日のだらしなさみたいなのが変わってくるような気がして」（由紀子さん）

Q 010 旅の経験が、いまの自分とどうつながっていると思いますか？

A うん、最近、面白い結果が出まして……。—由紀子さん

「あそこに、コアラがついた飾り物とクリスマスのフェルトの置物があるでしょ。これはネパールのお土産もので、たまたま最近ネパールの雑貨販売の仕事をしている人と知り合って、アトリエにも少し置かせてもらうことにしたの。前からずーっと、こういうものを売りたいなって話をしていて。ところが、その残高2万円とかっていう時期があったから、とても旅に出られるような状態じゃなくって。

でも今回、こうやって小物を売る機会が生まれて、またネパールに行きたいと思った。旅が仕事につながるよいチャンス。私たちは人生の一部が旅でもあるから。それぐらい大事なことだと思っているから」（由紀子さん）

「住んでいる場所の再確認もできたりしますからね」（誠さん）

庭仕事ができなくなる冬、仕入れもかねて旅に出てみたいのだという。そして、いまこうして穏やかに人を招き入れることができるのも旅のおかげと語ってくれた。

「ネパールでは、なんにもないような部屋に案内されて、すごくもてなしをされたことがありました。『特別でも立派な部屋でもないんだけど、どうぞ』という。もてなしたい気持ちさえあればいいと。プライベートを隠さない。その精神を教えてもらいました」（由紀子さん）

Q
011

どんなふうに生きていきたいですか？

A

なんにも縛られずに生きていきたい。うん、縛るものは本当は何もないはず。だって自分が飛び出せばいいだけの話だから。──由紀子さん

「私は世の中に惑わされずに生きていきたいってずっと思っていて。それに極端な話、人間だけの世界にいたくないっていうのが正直なところかな。自然のなかには、いろんな動物や植物がいるじゃない。人間だけで固まってるのってもったいないなって思うのね。だって、人間のことしか気にならなくなっちゃうじゃない」（由紀子さん）

庭の一角に野葡萄の根が張って、花がうまく育たない場所があった。二人はここにウッドデッキをつくることにした。

「俺そこまで考えてない、鹿と会話しようとか思ってない（笑）」（誠さん）

「でも、もうちょっと猫とわかり合えてもいいかなとか思わない？　なんだろう言葉のない世界も、とくと味わいながら生きていきたいと思うし、極々小さなことなんだけど、自然に近いところじゃないと得られないものがあるんだったら、不便であってもそれは全然構わない。人間の決めたものが当たり前だと思って生きるのは私は無理だな。例えば、時間って何時でもよくって、日が高いとかそれくらいわかればいい。実際は大きな流れのなかで生きてるんだってことを忘れたくないなって思う。

　ネパールの山のなかで暮らしている人たちは、山越えないと街に出られないから、一日かけて買い物に行く。しかも歩いて。そういう生活をしている人が、元気で笑顔で生きているのと、実際いま自分たちがやってることは同じなんじゃないかと感じられます」（由紀子さん）

「ネパールで訪ねた村にはなんにもないんですよ。電気も通っ

てなかったりとか。でも、表情が幸せそうなの。目がキラキラしていて」（誠さん）
「なんていうのかな、不便であってもぜんぜん不便と感じない。経済的なものに束縛されてないってことが大きいかな。って言えるようになったのは、つい最近なんだけどね」（由紀子さん）
二人は手を取り合って、ゆっくりと少しずつ歩みを進めていっているように見えた。ときには相手に厳しいことを言うこともあると笑うが、互いに補いながら暮らしている。「カンガルーファクトリーを中心になって回しているのは誠さん」と由紀子さんが語ると、「僕は黙々と花や庭をやってるだけなんでね、僕だけだと広がっていかないと思いますよ」と誠さんが返していた。

２０２０年11月13日取材

02 中川文江

なかがわふみえ　60歳

上美流渡在住、
パン屋女将・
リンパドレナージュセラピスト

インタビュアー
白川千愛　21歳
平山紗也華　21歳
沼田崇至　21歳
佐々木海　21歳
高木祈命　21歳

「カンガルーファクトリー」と同じ上美流渡地区にある森のパン屋「ミルトコッペ」。女将・中川文江さんは夫の達也さんと二人の息子さんと一緒に、22年前にこの地に移住してきた。まったくお店のない地区でパン屋をやるという決断に地元の人も驚いたというが、開店以来石窯で焼いたパンの評判は広がり、昼には売り切れになる人気店となっている。文江さんはパン屋の女将業とともに、リンパドレナージュセラピスト（リンパの流れをよくする施術師）としても活躍している。こちらも絶え間なくお客さんが訪ねてくる忙しいなかではあったが、学生たちとの語らいをとても楽しんでいるように思えた。

Q 012 なぜパン屋を始めようと思ったんですか？

A 「俺たちって、こんな当たり前の人生でよかったのか」って夫があるとき言ったんですね。

なぜ中川夫妻がこの地でパン屋を始めるに至ったのか。それを紐解くために、まずは二人のプロフィールを辿っていこう。文江さんは北海道出身。達也さんは新潟出身。どちらも上京しており、文江さんは看護師として、達也さんはサラリーマンとして東京で働いていたころに知り合った。

「当時、夫にも私にも同じ夢があったんですよ。ペンションを開きたいという。で、運命共同体の同志のような感じでお付き合いをしていました。結婚する前からお金を貯めていて、いずれ北海道でペンションを開こうって話していたの。夫の勤め先は全国に職場があったので、まずは北海道に転勤願いを出しました。それが受理されて札幌で暮らし始めたんですね。ただ、そのころ、ちょうどバブルが崩壊したばかりで、一時はブームだったペンションも右肩下がりになっちゃったんですよ。そんなことがあって、夫はサラリーマンで、私は専業主婦という堅実な道を歩んでいました。ただあまりにも順風満帆すぎて、夫が30代に入ってから、『俺たちって、こんな当たり前の人生でよかったのか』って急に言い出したんですよ。で、『確かに。私たちには夢があったよね』みたいな」

夫の一言を聞いて文江さんには、ある考えが浮かんだという。当時、大好きなテレビ番組があった。90年代に放映された人気バラエティ番組「進め！電波少年」だ。「見たいものを見る、したいことをする、会いたい人に会う」というコンセプトで、アポなしロケでタレントたちが無理難題に挑戦するというもの。なかでも好きだったのは、お笑いコンビ「猿岩石」の体を張った「ユーラシア大陸横断ヒッチハイク」だった。所持金はすぐにそこをつき日雇いなどで食費や交通費を稼ぎながら、半年かけてゴールのロンドンを目指した。

「その番組を見ていたときに、『ああ、もう少し若かったらな』とか『男の人だったら、こういうことをやりたかったな』って思っていた自分にハッとしたの。まだ30代なのに、こんなふうに考える自分てなんだろうって。じゃあ、変えちゃおうかってね！」

ただ、当時、ペンションの運営は厳しい状況だった。達也さんが考えたのはパン屋をやること。小さいころ、近所のパン屋さんで食べた焼き立てのコッペパンの味が忘れられなかったそうだ。達也さんには、もともと料理のセンスがあったこともありパン屋に修行に出た。文江さんもどこにお店を開こうかと思案するようになった。

「そのとき過疎の町で捨てられているような家があったら、そこをみんなでリフォームしたいと思いました。子どもたちを山猿のように育てたいとも思ってね」

文江さんが古家に住みたいと思った理由のひとつに、父親の姿があった。家具でも電化製品でも、自分で直しながら大切に使う人だったそうで、その影響もあって、バブル崩壊後に空き家が増え、それらが寂れていく様子に常々心を痛めていたという。そこで、文江さんは知り合いに片っ端から「郊外にある空き家でパン屋をやりたい」と話していった。

「たった一人だけ、ぴったりの場所があるから、ちょっと車で見に行こうかって言ってくれました。そのとき美流渡に初めてやってきたのに、夫も私も鳥肌が立つぐらい、何かね、懐かしいなって思ったの。で、普通だったら引っ越すのに下調べするじゃない。一切しなくって、『ここに住みたい』と思ったんですね」

知人はすぐに地域の町内会長だった陶芸家の塚本竜玄さん（1933〜2013年）を紹介してくれたという。

「塚本さんに『移住してパン屋をやりたいんです』って言ったら、『君たち正気か？』って言われてね（笑）。『ここでパン屋をやったって熊ぐらいしか来ないだろう。絶対生活していけないよ』って言われたんですけど、私たちはニーズがあると思ったんですよね。ここじゃなければやれないことをやりたいと」

二人の想いは地域の人に通じ、町内会館として使っていた建物を譲り受けることができたという。

Q 013 どんな生活を始めたんですか？

A 電波少年が根っこにあるから、子どもたちに「これから貧しい暮らしをするよ」って(笑)。

上美流渡に引っ越して、まず達也さんは半年かけて家の修繕を行った。壁が壊れていたり、床が抜けていたりする箇所もあった。当時、小学校2年生と5年生の息子さんに、文江さんは「これから貧しい暮らしをするよ」と話したという。

「貯金は使わないって決めたので、代わりに頭を使って、いかに0円生活ができるかって。パン屋が軌道にのるまでは私が働いて、とりあえず家のお金をつくんないとと思いました」

達也さんはパン屋の仕事と子育て。文江さんは札幌で働くことになり、一時は仕事を3つか4つ掛け持ちしたそう。

「スタート時は4人家族で月10万円で暮らしていました。お財布に500円玉一つしか入ってないことがよくあってね。札幌の企業に勤めていて、昼になったら『ランチ行きましょう』って誘われることもあったけど、行かないで息子がつくってくれたご飯と塩辛だけのお弁当を食べてました。それも、すごく嬉しくてね。ときにはお昼はコーヒーだけのときもあったなあ。

ほかにもスーパーやっている友人のところに週に一回働きに行って、バイト代いらないから、賞味期限間近の食品なんかをもらってきたり。近くの農家で2時間働きに行って、農産物をもらってきたり。傍目から見たら朝から晩までひたすら働いて、お金もなくて苦労しているって風に見えたかもしれないけど、めっちゃ楽しかった。『電波少年だー!』みたいな。

自然は厳しいけれど綺麗で、それも楽しくて楽しくて。お風呂もなかったけれど近くに温泉場があったし。お風呂がない人には、市から約半額で入れる銭湯チケットが出たんですよね。だから考えようによっては、とても素敵な贅沢な暮らしをすることができた。おかげさまで、子どもたちはものすごくたくましく育って、いま東京で暮らしています。仕事で営業のときに、昔の話をするとみんな食いついてくるって言ってますよ。そんなこともあって当時の暮らしのことを本にしたいねなんて息子から提案してくれたりもしています」

Q 014 パン屋の宣伝はしたんですか?

A いいえ。でも、変わった家族がいるって、新聞で取り上げてもらったり。

半年かけて家を直し、一部にパン工房をつくって開店の準備を進めていった。オープン時には、山のなかでパン屋を始める家族に興味を持った新聞社が6社も来たという。

「オープン早々に結構お客様が来てくださって、ずっとご縁がある方も多いですね。わざわざ買いに来るから、他の方の分もまとめて買ってくれたり。すごくありがたいですね。見えない糸がいっぱいある感じです。パンフレットは一回もつくったことないですよ。宣伝もしたことはないんですよ」

やがてパンの美味しさが評判となってテレビに取り上げられたこともあった。注文の電話がひっきりなしにかかってきて、予約が半年先まで埋まったことも。一時はたくさんのパンをつくろうとしたこともあったというが、達也さんは「中途半端なものを出すくらいなら、店をやらない」と自分のペースを守り続けてきたという。

Q 015 パンづくりで大切にされていることってありますか?

A 夫は自分のやりたいようにやりたいから、邪魔はしないことですね(笑)。

パンは12時間発酵させるため、夜から仕込みを始め、朝窯に火を入れる。文江さんは、リンパドレナージュセラピストとして、美流渡と東京のサロンを行き来して施術を行っており、特にお客さんの多い土日だけパン屋の女将をやっている。

「夫はパンをつくっている姿を人に見られたくないの。昔話の『夕鶴』の鶴だと思ってくれって言っている。天然酵母で生地を発酵させるから菌の管理も慎重にやらないとダメというのもあって。夫がやりたいようにやってもらったらいいなって思ってます。夫の人生でパンをやってるだけだから、パン屋のために生きてほしいとは思ってないですね。はい、だから私は静かにしています（笑）」

Q 016

今年、「ミルトコッペ」が新店舗になったそうですが、こだわった点を教えてください。

A

店舗を全部手づくりしたことですね。やりたいことをコツコツ10年間やっていたらできたという感じです。

住まい兼工房だった町内会館は、当時すでに築60年以上というかなり年月が経っており、いつ壊れてもおかしくないような状態だった。そんななかで達也さんは突然「家をつくりたい」と言い出し、パンづくりの合間をぬって建設に着手。家づくりの知識はなかったというが、引っ越し当初、町内会館の修繕を文江さんの父親にも手伝ってもらいながら行ったことが支えになった。家の壁には多量の札幌軟石が使われている。達也さんはトラックで何往復もして、札幌からこの軟石を運び出した。

「柱と屋根だけは自分でできないから、業者さんに入ってもらって。あとは一人でコツコツと」

最初は、達也さんが建てた家を住まいにする計画だったが、2015年に新たなプランが持ち上がった。自宅から歩いて数分のところに大きなログハウスがあり、巡り巡ってそこを購入することになった。このログハウスは市内の実業家が別荘として建てたもので、何年も空き家になっていた。文江さんは、家が可哀想という思いから、買い手を探したこともあったが、うまくは回らなかった。しかし一度、なかを見てみたとき、「とても愛情を込めてつくられた建物だということがわかり」、自分が引き継ぐ決心をしたのだという。

結果的に達也さん手づくりの家は新店舗となり、このログハウスが住まいとなり文江さんはサロンを開いている。それ以外

ミルトコッペの新店舗。冬期は休業。春にお店は再開される。

にも広さを生かして音楽会やワークショップなどイベントを開催するスペースとしても活用され、上美流渡の新たな拠点のひとつとなった。

Q
017
上美流渡以外の場所で、パン屋をやろうと考えたことはありますか?

A
例えば次にもう一回人生を送るとしても、やっぱりここにすると思います。だって、面白すぎて。

「ここに集まってくる人たちが面白すぎるんですよ。もうね、半端ないぐらい面白い」

そう言って文江さんは目を輝かせた。この地域一帯の炭鉱が次々と閉山になったのは50年ほど前。1万人以上が住んでいた地区もあったが人口は急激に減少していった。そんななかで35年ほど前に上美流渡地区に移住した陶芸家・塚本竜玄さんがここに「ミルトアートパーク」をつくろうと活動し、それに応えた工芸家が一人また一人と移り住んできた時代があった。その波はいったん収束したが、この5年ほどで移住者が再び増え始めた。文江さんとのつながりをきっかけにして、「カンガルーファクトリー」の大和田夫妻（P25）や当時20代の若者が移住し、地域おこし推進員（協力隊）となるなど、人が人を呼ぶ現象が起こるようになった。

学生が「移住者は個性的な方が多いんですか？」と聞くと……。

「個性的っていうかね、生きることを楽しめない人は住めないと思いますよ」と文江さんは答えた。岩見沢市は北海道有数の豪雪地帯。商店も数えるほどでコンビニエンスストアまでは車で15分ほどかかる不便な場所だ。

「厳しいこともある場所だけど、楽しいと思えれば、そこが幸せな場所になるじゃない？　みんなが自分の住んでいるところをユートピアにしていけばいいんじゃない？」

Q 018 新型コロナウイルスの感染拡大で、暮らしに変化はありましたか？

A 薪割りしてました（笑）。

文江さんがかねがね欲しいと思っていたもの。それは薪ストーブだった。揺らめく火を見ながら体も心も温まりたい。しかし達也さんは、この計画に難色を示していた。パ

コロナ禍で文江さんは
薪割りに精を出した。

ンを焼くために、毎年薪を集めるのにとても苦労していたため、自宅の分まで用意することは現実的には難しいと考えていたからだ。

そこで文江さんは「薪は自分で集める」と約束し、念願かなって昨年設置した。文江さんは早速、薪ストーブを使っているご近所の知り合いに声をかけ、山で倒木などをたくさん集めていった。

「チェーンソーが使えないから、それは若い人に任せて。私は切った木をひたすら運びました」

さらに文江さんは還暦の祝いに夫に斧を買ってもらい、薪を割り続けた。普段であればサロンの仕事で忙しいのだが、コロナ禍で東京行きをストップさせたことから、薪割りの時間が十分に取れたという。

「夫は静観していたんだけど『口だけじゃなくて、ちゃんとやるんだな』と思ったらしくて、とうとう協力してくれるようになりました（笑）。『ミルトコッペにある古い薪を使え』って。それに『来年からは自宅の薪もプラスして発注するから』って」

Q 019

これから美流渡がどんな風になっていってほしいと思っていますか?

A

私はね、北海道教育大学の学生さんたちと、こうやってつながりたかったの。美流渡をいっぱい使ってほしいと思ってる。

「岩見沢にある教育大は美術と音楽とスポーツに特化した大学でしょ。美流渡も芸術がいっぱい詰まっている場所。例えば音楽専攻の学生さんだったら、まわりに民家があまりないから、いくらでも音を出して練習できる。スポーツだったら、どこもかしこも山だから、それを利用できる。アーティストも住んでいるから美術のみなさんも刺激が受けられるし、制作場所も確保できる。空き家をシェアハウスにしてくれたっていいし。車だったら片道20分。そんな距離で、こんなに豊かな場所があるんだからね。何より若い子たちが来てくれるだけで、年配の方は元気になる。そうやって、この地をみなさんが好きになってくれたら、絶対に世の中が変わっていくと思うの。若い子は都会に出ていってしまうことが多いけれど、あえて残りたい場所があるって実証したい。だって誰かが先駆けて実現すれば、絶対周りも変わっていくから。これを私は旭山動物園スタイルって言ってます。旭山動物園は、お客さんの減少で廃園が決まっていたそうです。それなら『好きにやらせてください』って、当時の園長が動物が主役の園に変えたんですよ。あそこに行ってみるとわかるけれど、高校の学校祭のような感じの手書きの解説がいっぱいあって。で、結局そのスタイルがすごくウケて、全国の動物園や水族館が次々と変わっていったんですよね。本当はみんなこうしたいと思っているのに、やれないでいることってたくさんあるの。でも、誰かがひとつ始めたら、オセロのようにどんどんひっくり返っていく。そういう起爆剤みたいになりたい。

地方ってダイヤモンドの原石。いろんな人が集まってくると可能性が広がる。そして化学変化していくでしょ。それがすごく面白いと思うんだ。だからみんなでオセロをやろうって」

Q
020

とてもポジティブな感情を持っていることがわかりました。では、逆に美流渡に移住して一番苦労した点は?

A　苦労って思っちゃったら苦労。宝の元種になるんですよ。

「いままでいろいろなことが起きたけれど、それをすべて苦労と思ってないです。それがあったから、いまがある。私はね、なんでもひっくり返してったらいいんだって思っています。苦労と思ったら苦労なんだけど、それは宝の元種」

もちろん文江さんも、生涯ずっとポジティブを貫き通してきたわけではない。東京で看護師をしていたころはＩＣＵ勤務。医療の現場は体力的にも精神的にも厳しいことは多く、心労から10キロも痩せてしまったという。

「これまでの人生には、人間関係がこじれてしまったりとかいろいろな局面があって、それを乗り越えるときにはもちろん辛いこともありました。でもね、夫もこの間こんなことを言ってたの。夫は5年前に心筋梗塞を起こしていて『そこだ

現在の住まい。「美流渡の森の山荘」という名前をつけて、イベントなどもときどき開催している。

け見たら不幸なことかもしれないけど、あれがあったからいまがあるって思える。だから、起きたことはよかったと思う』と。

過去をどう思えるか。出会いをどう思えるか。過去は消しゴムで消すことはできないし、私は消すことを勧めたくはないの。どんなことも、それがあったからいまの自分の糧になってる。そうやって人生を、みんなにも送ってほしいなって思います」

Q 021 今後の夢や目標は？

A みんなが元気で過ごせるようにサポートしていきたい。

文江さんのサロンには、疲れが溜まっていたり体調のすぐれない人がひっきりなしにやってくる。リンパの流れが滞っているところを見つけると、文江さんはひとつひとつそれを優しくほぐしていく。ゆったりとした空気に包まれた施術中、人生の悩みを打ち明ける人も多い。そうした会話によって心のコリも軽くなる。

「せっかくみんな生きてきたんだから、やっぱり人生楽しんで、元気に過ごしてほしい。そのためにまずは自分が不動の元気じゃなきゃいけないっていうのがあります。お客様にネガティブな考えがあったら、それをポジティブに考えられるようにサポートさせてもらっています。美流渡で、みんなが自律的に元気になっていけるような場所を用意したい。そういう場所が世界中にできるといいなあと思っているので、そのために私がやれることは、美流渡なんだよね」

街からサロンにやってきたお客さんが現れ取材はここで終了。わずか1時間だけのインタビューだったが、学生たちの心にもポジティブな風が吹き込んだに違いない。取材終了後には「エネルギーの塊のような人」、「生きる強さを感じた」という感想が学生たちから上がっていた。

2020年11月13日取材

03

辻本智也

つじもとともや　28歳

毛陽在住、スポーツクラブ代表

インタビュアー

三浦綾花　21歳

土屋直之　21歳

青木彩　21歳

杉浦瑛里子　20歳

木下あずみ　21歳

美流渡から夕張方面へ車で向かうと、数分で毛陽地区となる。農村地帯で畑や果樹園が広がるこのエリアには北海道教育大学の学生らが住むシェアハウスがある。運営の中心となっているのは大学OBの辻本智也さんだ。大学院生のころに、大学と連携したスポーツクラブを立ち上げ、その代表も務めており、スポーツによって街を元気にしたいと活動を続けている。辻本さんにインタビューをしたのは、スポーツ経済学を専攻する学生たち。スポーツクラブの運営や指導方法について興味を持っており、多数の質問があがった。

Q 022

辻本さんはなぜ岩見沢にスポーツクラブをつくろうと思ったのですか?

A

総合型地域スポーツクラブと呼ばれる形態でやっていて、まわりから「それは仕事にならないからやめたほうがいいよ」って止められたのがきっかけですね。「ダメだ」って言われると、逆にやろうと思うんですよ(笑)。

辻本智也さんは、大学院生だった2017年に「スポーツ ライフ デザイン いわみざわ(以下、SLDI)」を設立し、2019年に社団法人化した。形態は総合型地域スポーツクラブ。その定義は、地域住民によって主体的に運営され、あらゆる世代の住民が、多様なスポーツをそれぞれの志向にそって行うことができるとされている。

盛岡出身の辻本さんは北海道教育大学の函館校に進学し、大学で運営されていたこの形態のスポーツクラブに所属し運営委員長などを務めていたという。

「大学3年生の後半は就活時期ですが、どこかに勤めて理不尽なこととか言われたくないなっていう思いもあって、スポーツクラブの立ち上げに興味を持っていました。ただ、総合型地域スポーツクラブは、もう20年以上も前に国が施策を出しているんですが、認知度はすごく低い。当時、まわりの人にこうしたクラブをやりたいと話すと、『結婚して子どもを養えるほど収入が見込めるシステムになってないからやめなさい』と言われることも多くて。僕は小さいときから『やめなさい』って言われたらやりたいと思うタイプの人間なんで（笑）、じゃあそれにしようと思いました」

Q 023 立ち上げの経緯を教えてください。

A いったん就職したんですが退職して、大学院に行きました。そこでいろんな先生にあったことで、スポーツクラブの形が見えました。

大学卒業を控え、辻本さんはまず自分自身のスキルを高めようと考えた。「英語を学ぶこと、ビジネスを勉強すること、人間として成長することという3つをやっていこうと思いました」

自分がどんなクラブをつくりたいかを考えるなかで、スポーツとともに柱のひとつにしたかったのが国際交流。函館時代にたくさんの留学生と出会った経験から、多様な文化や価値観に触れることの重要性を感じたという。そこで、まずは英語を学ぶために、ニュージーランドの山の宿でヘルパーの仕事をする計画を立てた。

「留学する気まんまんで4年生を過ごしていました。そんななかで同級生たちはどんどん就職が決まっていく。『まだ何もしてないの？』って言われて、不安になってきたんですよね。で、ふと就活するんだったら自分はどんなキーワードで検索するのかなと思って『スポーツ／英語／ビジネス』と入れてみました。そうしたら、トップに出てきたのが海外スポーツ専門のビジネス会社。ちょうど新入社員を募集していて、ここならビジネスを勉強できて、海外とつながれて、英語も勉強できるかなと思いました」

履歴書を送り面接を受け、すぐに採用が決まった。その会社は名古屋にあって、ゆくゆくは総合型地域スポーツクラブの設立を目指していた。辻本さんは海外の観戦チケットの販売営業に携わったが、クラブ立ち上げはなかなか具体化せず、半年ほどでこの会社を退職した。

「その後、実家に帰ってニートしてました。昼の12時くらいに起きて、パソコン開いて携帯いじって夜中の3時くらいに寝て。ベッドの上にずっと居続ける不健康な生活してたんで、まあまあメンタルもやられるんですよ。『もうダメだなぁ』とか思って」

　海外に行くか、大学で勉強するか、就職するかを迷っていたという。そこで東京に住む恩師に相談に行った。すると「もっと勉強してはどうか」とアドバイスをもらい、大学院に入ろうと思ったという。

「北海道教育大学の岩見沢校に入りました。ここでスポーツを専門にするいろんな先生に会って、スポーツクラブをつくりたいという僕の考えと重なる部分も大きかったので、岩見沢でそれをやろうと思いました」

　ここから大学と連携しながらクラブをつくる取り組みが始まった。

Q 024

SLDIではバルシューレという運動プログラムを取り入れていますが、なぜですか?

A

スポーツの根本的な楽しさを感覚的に体験してもらえるからです。

「大学院でバルシューレに出会っていなかったら、岩見沢でＳＬＤＩをやろうとは思いませんでした」

バルシューレとはドイツ発祥のボール運動プログラム。さまざまな競技に入る前に、子どもたちがボールに親しみ、遊びながら基礎的な運動能力を身につけるというもので、岩見沢校で研究が行われていた。その成り立ちや理念、社会的背景を学ぶなかで、辻本さんは「これしかない」と思ったという。

「僕は子どもたちの運動の課題をどうやったら解決できるか、ずーっと考えていました。スポーツの根本的な楽しさを感覚的に体験できるプログラムは、これしかない。認知度の低い総合型地域スポーツクラブを成り立たせるためにも、岩見沢という街で新しい育成方針のクラブができたら、それは意味があるんじゃないかと思いました。それに子どもだけじゃなくて、成人にも高齢者にも適用できるとも考えました」

大学ではすでに地域向けのバルシューレ教室があったが、年10回ほどしか行われていなかった。素晴らしい理論と大学という設備の整った環境を十分に生かすためには、独自にスポーツクラブを立ち上げる必要性を感じたという。そして、大学から最新の知識を得て、学生も指導に参加しながらそれを実践し、フィードバックするというスタイルのＳＬＤＩが始まった。

バルシューレ教室とともに、その理念に則ったバレーとバスケ教室も開いた。大学の後ろ盾はあったが運営にはさまざまな困難が待ち構えていた。そのひとつは価格設定。これまで無料で開催していた経緯もあり、設立初年度は1回ワンコイン程度で参加できるようにした。2年目からは、持続可能な運営を目指すため月謝を倍に設定。これにより会員数が半減したという。

もうひとつの課題は、バルシューレという指導理念への理解不足。教室での様子は子どもたちがただ遊んでいるだけのように見える。これはボールゲームに必要な自由な思考力や創造的プレーを自然に身につけていくという考えからなのだが、保護者のなかには「なぜ何も教えないのか」と戸惑う声もあったという。認知度アップのために、地元のお祭りなどに参加し、実際にバルシューレを体験してもらう機会をつくってきた。さらに、サッカー教室やスキー教室も立ち上げ間口を広げた。

「ヒーヒトマースキー教室もつくりました。これはフィンランドのスキーのスタイルで、バルシューレの教育理念と通じるものがあります。グラウンドに2メートルほどの雪山をつくって、子どもたちがミニスキーで遊ぶ。こうしてゲレンデを滑るための基礎技能が自然に身につくというものです。まずはスキーを好きになってもらいたいと思っています」

地道な活動が功をそうし、会員数は160名ほどとなった。次なる目標は半年で50名ずつ増やし、2、3年後には400名とすること。

「岩見沢の子どもは大体4000人くらいです。そのなかの最低10パーセントくらいは、このクラブに関心を持ってもらえるんじゃないかと。勝ち負けを重視するクラブを好む傾向もあるとは思いますが、従来の指導方法にマッチしない子どももいますし、教育の方針も変わってきていますから」

Q
025

試合の勝ち負けを重視する指導をこれまで受けてきた子どもたちもいると思います。そうした子どもにどんな言葉をかけていますか？

A

「監督のためにやってるのか、自分が好きでやってるのか、どっち？」って聞きますね。

「いま中学生にサッカーを教えているんですけど、困惑している子どももなかにはいます。いままでの練習と違うって。そういう子に『何のためにサッカーやっているの？』

と聞くと『試合に出たいから』って答えることも。自分も部活動をやっているとき、レギュラーになることが最優先だったので気持ちはよくわかります。でも、僕らの指導方法でも、実は技術レベルって他のクラブと変わらないんですよ。それなら、楽しく学べた方がいいじゃないですか？　競技志向も大切ですが、スポーツが楽しいって思えたら生涯続けていけると思いますから。

ほかにも、『なんで君たちはいま挨拶をするんだろう？』って話をしたりします。例えば『こちらは気持ちよく挨拶をしてるのに、君たちに無視されたらどう思う？　気持ちいい？　気持ちよくない状態で運動始めて楽しい？』みたいなことを伝えます。考える力がすごく重要だと思っているからです。バルシューレも同じです。自分で考えないと遊べないプログラムですからね」

こうした「なぜ？」を考える思考法があれば、きっと自分のやりたいことを実現する力が身につけられるはず。

筒にボールをくぐらせて走るなど、知らず知らずのうちに全身を使うプログラムが用意されている。

辻本さんは「自分がいい例です。めちゃめちゃ頭が悪いけれど、何とかやっていっているので」と言い添えた。

「僕は学校で、先生が何を言っているのかよくわからないと思っていたんですよ。テストの点も20点とか30点。数学で公式を教える先生に向かって『なんでその公式じゃないと解けないいんですか？　ほかにはないいんですか？』って聞いたりしていました。当時、数学や国語を勉強しなければならない理由を教えてくれる大人がいないと思っていましたね（笑）」

Q 026

スポーツクラブを運営するなかで一番困難だったことは？

A

まさにいまです。新型コロナウイルスの感染拡大で、会員数も安定しない、先が見えない。

2020年2月ごろから新型コロナウイルスの感染拡大が報道されるようになり、スポーツクラブの開催も難しい状況に追い込まれていった。このほか、辻本さんはスポーツイベントの運営も手掛けていたが、それも中止を余儀なくされた。

「4、5か月開催できなくて会員は40人ほど減りました。収入も95パーセント減で、そろそろヤバイと思っていたころ、緊急事態宣言が解けて『やるしかない』と思いました。いまは会員数も回復してきましたが、まだまだ良い状態とは言えません」

バルシューレには120種類以上の運動プログラムがあり、大小形の異なるボールをはじめ、さまざまな道具を使う。コロナ禍となり、この道具をすべて消毒したり、大学の施設借用の申請書類も増えたりと、これまで以上の負担がかかっているという。

「コロナ鬱っていろんなところで聞くようになりましたよね。気持ちはわかりますよ。これまでは、自分の責任でできないことがありましたが、いまは再び緊急事態宣言が出されたら、スパッと世の中から切られて終わり。やらなければならないことが見えているのに、それが達成できていない自分にイラついてます。しかも、何か月この状態が続くかわからない。でもまあとりあえず寝ればなんとかなるし、シェアハウスに住んでいるのも助かっています。多分一人暮らしだったら、情緒不安定でもっとひどいかもしれない」

Q 027 毛陽地区で学生とシェアハウスをしているそうですが、なぜですか？

A 自分が成長するためと、もともと自然が超大好きだからです。

辻本さんはスポーツクラブ立ち上げと同時期に、市街から毛陽地区に移り住んだ。きっかけは、当時、岩見沢の山あいで活動していた地域おこし推進員（協力隊）から、空き家をリノベーションしてシェアハウスをやってみないかと誘われたことから。

「はじめて毛陽を訪ねたのは5年前ですね。駅からバスで向かったんですが、まるで映画『となりのトトロ』のバスに乗っているような感覚でした。本当に着くのかと不安になって、車中で何度もグーグルマップで確認したりして（笑）。そうしたら緑も多くて静かな場所だった。以前からこういう場所に住みたいと思っていたので、シェアハウスづくりを即ＯＫしました」

辻本さんは、ちょうど住まいの賃貸契約の更新時期が来ていたため、毛陽地区を訪ね

一軒家を改修してシェアハウスにした。辻本さんの部屋は壁を白いペンキで塗った。

た数日後に引っ越した。そして、その一角で寝泊りをして、壁や床の修繕をしたりペンキを塗ったりして自分たちで住める状態に整えていった。

「最初はガスも通っていなかったので、外でバーベキューをしたりとキャンプのようでした。どうしてここに来たかというと、スポーツクラブの子どもたちに多様な価値観を身につけてほしいと思っていて、まず自分がそれを養わなくちゃなと。ここには街中にはない隣近所の関係があります。こういうコミュニティに自分が参加しなければわからないこともある。自分が感じたことを子どもたちにちゃんと伝えたいと考えていたんです」

シェアハウスの名前は「ヌカカハウス」。ヌカカとは、とても小さなハエ目の虫で、リフォーム中にたくさん発生したことからその名がついた。一軒家で1階がキッチンなど共用スペース。2階に4部屋あって、現在、辻本さん以外に3名の学生が暮らしている。

Q
028

現在は市街での活動が中心ですが、シェアハウスのある周辺地域では、どんな取り組みをしていますか?

A

いままでは自分が生きていくことに必死だったんですが、これからようやく動けるかなと。

これまで辻本さんは、クラブの子どもたちが毛陽やその周辺地域に足を運んでもらえるようにとキャンプをしたり、子どもが主体的に遊ぶことを目指したプレーパークの活動を行ったりしてきた。

「単発でのイベント開催はできるんですが、これからの課題はこの地区で定期的に運動の教室をやっていけるかどうかですね。いま自分がやっていることと、なかなかマッチさせにくいところがあって」

この地区は過疎化が進んでいて子どもがそれほど多くない。対象年齢を絞ると参加できなくなってしまう子どももいることから、この地域に即した取り組みを検討中だ。そうした足がかりになりそうなスポットが今年、毛陽に生まれた。辻本さんの後輩となる北海道教育大学の大学院生であり、地域おこし推進員でもある瀬尾洋裕さんがつくった自転車コースだ。BMXと呼ばれる起伏の激しいコースを専用の自転車で走る競技のための施設で、近隣の子どもたちがここで遊ぶ姿が頻繁に見られるようになっている。辻本さんはこうした施設と連携しながら、徐々に取り組みを始めていきたいのだという。

Q 029
将来的にもSLDIで働いていきたいと思っていますか?

A
将来的に? うーん、50歳までには立ち位置を変えたい。自分の自由な時間が欲しい。

「働きたいと思っていますけど、50歳のときには会社を経営する人間ではいたくないですね。もう自由にしたいことをしていたい。海外で文化を感じスポーツするのもいいし。多分ドイツの人たちに出会って、そう思うようになったんだと思います。日本では、スポーツも体育も運動も、どちらかといえば労働みたいに捉えられていると思うんですが、そこから離れたいと思っています」

辻本さんは早く現役を引退したいといっているわけではない。50歳までにこの地域が、スポーツを通じて人生が豊かになる環境となっていれば、そのときこそ自分も自由にスポーツを楽しんでいるはずだと考えている。院生のころ視察でドイツを訪れ、スポーツクラブが地域のコミュニティづくりの重要な拠点となっている環境に触れ、これを理想と考えた。ただ同時に、理想へ向かうための明確な道筋が見つかっていないことに焦りも感じているという。

「このままじゃダメだと思っています。地域に開かれた心の拠り所となるような場所ってどういう風につくっていけばいいのかと迷いはありますよね。自分自身だって、地域の人に心を開放しきれていないんじゃないかって思うこともあって」

迷いながら揺れながらではあるが、辻本さんは岩見沢が日本一のスポーツの街になるようにと前へ前へと進んでいる。

「何をもって日本一かっていうと、多様なスポーツができる環境をつくる人材の育成です。『育成といえば岩見沢』って言われるようにしていきたいですね」

2020年11月6日取材

04

細川孝之

ほそかわたかゆき　88歳

美流渡在住、元左官職人

インタビュアー

塚田幹矢　23歳

中川旭生　21歳

嶋貫楓　21歳

山本鈴花　21歳

井口雄登　22歳

C.S.　21歳

戦前から美流渡に住み始め、街の景色をずっと見つめ続けてきた人物がいる。現在88歳で左官職人だった細川孝之さんだ。自分で壁を塗ったという、端正な佇まいの平家に住んでいて、奥様とともににこやかに迎え入れてくれた。学生たちが質問を投げかけると「おかしな話聞きに来たね〜」とまじまじと顔を見つめながら微笑み、記憶の奥底を手繰りながら、仲間たちの思い出を楽しそうに話してくれた。

Q 030

細川さんが美流渡で
暮らし始めたときのことを教えてください。

A

親に連れられて
5つか6つのときに引っ越してきました。
選炭所があって、一日中ガラガラ音を立てていて、
そりゃあうるさかったよ。

細川孝之さんは、昭和7年に北空知の秩父別《ちっぷべつ》で生まれ、幼い頃にこの地にやってきた。父親の仕事は雪のない時期は左官業、冬は炭鉱の選炭所で、ボイラーの技士として働いたという。

「炭鉱時代は美流渡駅があって、そこに大きな選炭所があったんだよ。選炭所っていうのは、石炭を洗ったり選別したり、塊からズリ（石炭を選別した後の岩石や土砂など）をカットして取り出したり。

最初、親父は出稼ぎみたいにして働いていたんだけど、家族を美流渡に呼び寄せてね。

住み始めた大きな借家は3家族も4家族も一緒になっていたね。家が足りなかったんでね」

炭鉱の仕事は1日3交替制だったという。朝から仕事をするのが1番方。午後からが2番方。夜が3番方。細川さんの当時の住まいは選炭所の近くだったそうで、繁忙期は昼夜を問わず機械が動いていたという。

Q 031 学校はどんな様子でしたか？

A ひと教室に60人も70人もつめてたね。

美流渡小学校の児童数を調べてみると、1000人を超えたのが昭和14年。ピークとなったのが昭和34年で1861人。炭鉱が閉山するまでたくさんの生徒が通う学校だった。

「ひと教室に60人も70人もつめてたね。働き盛りの男は兵隊に取られてるもんだから、女学校を卒業したばかりの新米先生が聞かん坊を相手にしていて、振り返ってみれば大変だったろうなって思います」

その後、細川さんは美流渡中学校へと進学した。

「勉強好きでもないけど、親父が中学校出ていないと、兵隊に行っても下士官になれないと言われてね。中学校は男ばっかり70人の松組、女ばっかり70人の竹組、男女合わせて50人の梅組っていうのがあったかな」

Q 032
左官の仕事を始めたのはいつですか?

A

中学3年生のときに戦争に負けて、世の中ガラリと変わってね。それで代々うちは左官の仕事だったから、それを覚えるようになりました。

父親が左官業をやっていたころ、仕事は美流渡周辺が中心。炭鉱住宅など平家を手掛けることが多かったが、細川さんは規模の大きい建物の仕事を覚えたいと考えたそう。

「親に頼んで帯広に見習いに行くのを許可してもらってさ。他人の飯を食わなかったら、どうにもならないと思って。幅がきかないからね」

2年ほど帯広で修業をしながら、冬には東京や大阪でも仕事に励んだ。

「北海道は冬が厳しい。左官は水を使う仕事だから、しばれる季節になると、受け入れてくれる場所がパタっとなくなることもあって、本州にも行きました」

Q 033 ほかの地域がうらやましいと思ったことはありますか?

A 東京や大阪行って、いま流行りの言葉で言ったらレベルが違うって思ったね。

「東京や大阪に見習いに行ったのは、腕のいい職人になりたかったから。5階建の建物とか、コンクリートで打った後を左官仕上げするような時代だったから。そのとき住宅の建築にもランクがあるんだなと思いました。立派な建物の仕事をするような職人になりたいけど、要求される仕事の質が高くて、なかなかハードルが高いなと思いましたね」

細川さんは、興味深い仕事を行う会社を訪ねて、働かせて欲しいと頼み込んだという。

「飯だけ食べさせてもらえたら賃金はいらないから、仕事を覚えたいからよろしく頼むって言ってさ。そしたら面白いヤツが現れたと思ってくれて、結構使ってくれたね。迎え入れてくれたっちゅうかね」

Q 034

炭鉱が閉山してから仕事はどのように変化しましたか?

A

美流渡では仕事が少なくなったけど、今度は車の時代になって、岩見沢市での仕事が増えていってね。

見習い期間を終えて、美流渡に戻って本格的に左官の仕事を始めた。昭和44年に炭鉱が閉山となってからは、岩見沢市*の仕事が増えていったという。

「岩見沢で大きくて面白い仕事が多くなってきたんだけど、毎回、美流渡に戻って準備すると、うまい具合に歯車が回らなくなって、それで市内に倉庫を立てて、寝泊りもできるようにしました。住まいも移したほうが便利だったけれど、ちょうど結婚して、子どもも小さかったし、簡単には行かなくてね。それに美流渡に縁があって借金して土地を買って、やっと自分のものになったし、やっぱり私も子どもたちも、美流渡の小学校中学校に行ったたし、だんだん離れがたくなっていったんだよね。住めば都だよ」

＊当時、美流渡は栗沢町に属していたが、町が２００６年に岩見沢市と合併

Q 035 人生で一番楽しかったのはいつ頃ですか？

玄関にはさまざまな色のタイルが貼ってあった。仕事で余ったものを再利用したという。

A

楽しい……、さあて……。
街の人に何か喜んでもらえる仕事をしようかって
地域の仲間と話して、
集まっては酒飲んでってしていた時代かな。

細川さんは、左官の仕事で忙しくするなかで、地域の仲間と「美知美会《みちび》」という会を立ち上げた。お酒をみんなで飲むための口実にしたくてと笑うが、現在でもこの会は続いていて、地域の環境整備や除雪などに一役買っている。

「美流渡の人たちにも喜んでもらえる仕事があるはずだからと。みんなで集まって酒ばっかりかっくらっていられねえしって、年寄りの家の屋根の雪下ろしを手伝ったりとかね。まあ、ちょっとした仕事しかできないけども」

あるときは、小学校の校庭を借りてスケートリンクをつくったこともあったという。

「車が多くなってきて、子どもたちが道でスキーやスケートで遊ぶことができなくなって、水撒いて雪を降り固めて、グラウンドにスケートリンクをつくらせてもらったんだ。一回やったら次の年もやらんわけにはいかなくなって、何年か続けたんだよね」

思い出話をしながら、細川さんは天井を見上げた。まぶたにはきっと、当時の光景が浮かび上がっていたに違いない。仲間とともに活動し、酒を飲み語り合ったこの時期が「一番楽しかったのかなあ」とつぶやいた。

「いま友達も一人去り二人去り……。いなくなっちゃって寂しいよ。『オールド・ブラック・ジョー』って歌をしきりに思い出すような年頃になったもの。我も行かん、老いたればっていう歌詞があるでしょ」

アメリカ民謡の父とされるフォスターがつくったこの楽曲は、日本語にも訳され学校でも歌われていたという。若い日は夢のように過ぎていって、あの世で友たちが自分を呼んでいる声が聞こえるようだ、そんな歌詞が綴られている。

Q
036

美流渡の街を活性化させるために、私たちのような学生に期待することはありますか?

A

まず活性化って言葉が、経済活動のウエイトが高くなるような気がするんだよな……。

細川さんは80年以上美流渡で暮らし、石炭から石油へとエネルギー政策が転換していく状況を肌で感じながら暮らしてきた。

「限りある地下資源を掘って、それを地上に出してきているんだから、なくなるのは当たり前。石炭は経済活性化の爆発的なカンフル剤になったけど、なくなったらそれで終わり。街自体も消えてしまう。農業や漁業だとか、繰り返し生産が繋がっていくようなものでないんだよね。そういうものとはまた違った力っていうのが必要だと思います」

学生が投げかけた「私たちに期待することは？」という問いに、細川さんは特に答えはしなかった。また、美流渡の移り変わりについて質問されると「さあ、待てよ……。いつかね、なんか面白い話を思い出したらメモしておくね」と前置きし、家の裏の方を指差してこう語った。

「選炭所で出たズリを捨てた石ばっかり、青いような色してた山がそっちの方にあったんだよね。それが、どっからか草や木の種が飛んできて、いつの間にか繋って、緑一色の山になっていった。自然の力ったらすごいね。静かになって昔とまったく違うね」

そしてもう一度「いまは美流渡の『オールド・ブラック・ジョー』の心境だよ」と言って微笑んだ。

2020年11月14日取材

05

堤理光

つつみただみつ　68歳

美流渡在住、つつみ百貨店店主

インタビュアー

塚田幹矢　23歳

中川旭生　21歳

嶋貫楓　21歳

山本鈴花　21歳

井口雄登　22歳

C.S.　21歳

現在の美流渡地区には商店が数えるほどしか残っていない。そんななかで、食料品やお酒、タバコを販売し、クリーニングの取り扱いも行う「つつみ百貨店」は、地元になくてはならない存在。雨の日も雪の日も、ほとんど休まず店を開けているのは堤理光さん。創業100年以上という百貨店の三代目であり、美流渡町内会の会長でもある。22歳から現在まで45年以上もお店に立ち、この街の移り変わりを見つめてきた堤さんに、学生たちは地域の歴史と未来の展望を聞いた。

Q 037
つつみ百貨店を継ごうと考えたのはいつですか？

A
22歳です。信用金庫に就職が決まっていたんだけど、やっぱり跡を継ごうって思ったんだよね。

つつみ百貨店の創業はおよそ100年前。祖父母が徳島から北海道に渡り、石炭輸送の要であった万字線の駅員として美流渡に着任。その後ここで百貨店を始めたという。堤理光さんは高校生まで美流渡で育ち大学で上京。卒業後は信用金庫へ就職しようと考えていたという。

「就職の内定が決まっていた4年生の11月に帰省したんだよね。そのとき親父は街中でいろんな役をやっていて出て歩いてばかり。お袋が一人で商売やってるのを見たらかわいそうになって。それに小学校時代から、うちで働いている人にくっついて配達なんか行ってて自然に商売を覚えていたし。嫌いじゃなかったから、自分から継ぐよって言いました」

当時、すでに炭鉱は閉山していたものの、街の人口は2500人ほど。店の間口も広く二十間（約36メートル）。お酒やタバコ、食料品とともに、文具や金物、瀬戸物、家具の取り扱いもあり、パーマ屋さんも入っていたという。街には賑わいがあり、秋祭りが行われるとメインストリートに450軒ほどの露店が出ていたそうだ。

「商売的には結構面白かった。一番売ったときは年間7500万。この調子で行ったら1億くらい売れるなと思って、頑張ってた時期もあったね（笑）」

Q
038

なぜ町内会長になろうと思ったんですか？

A

4年前まで
美流渡には11の町内会がありました。
それをひとつにまとめようと言い出したのが
僕だったんで、その流れです。

堤さんが町内会で役員を務めるようになったのは、お店を継ぐ決心をしてすぐのこと。美流渡は道道38号線の3キロほどの区間だが、そのなかに11の町内会がひしめいていた。会の区画は何千人という人口があった時代につくられたもので、過疎化してもそのままの状態で運営されていた。

「10年前に11の町内会をまとめる連合町内会の会長に選ばれました。そのとき、人口がこれだけ減ったのに、前と同じ組織ではもうやっていけない、これはなんとかしないといけない、ひとつにしようとみんなに言い続けていました。それがようやく4年前にまとまって。僕が言い出しっぺだったもんだから、会長やれって言われてね。まあ自分でもやんないとっていう気持ちがありました」

町内会には会長のほかにも数名の役員がいる。そのなかでも仕事が多岐に渡るのが事務局長。大変さもあって、なかなか成り手が見つからないことが、会の運営で大変なところだという。

「ようやくやってくれる人が見つかってね。ただ、最初はいろいろ喧嘩したけどね(笑)。やっぱり言いたいこと言い合って、お互いを分かり合えば、その後はうまくいくかなって。表面だけで付き合っていったらこんなに長くやっていくことはできないから」

Q 039

炭鉱があった時代から過疎化となった時代まで、変化をずっと見てこられて何を感じますか？

A これはもう、なんていうのかな、しょうがないなっていうかさ。

堤さんが小学校に入学したとき全校児童は約1700人。中学に入学したときも人数は多く、1学年が300人ほどだったという。

「いま中学時代の同学年でここに残っているのが、たった5人。閉山で、みんな本州に移ったり、いろんなところに散らばってしまって、なかなかクラス会もできない状況かな」

閉山したのは高校生のとき。ピーク時には1万人以上が暮らしていた美流渡の人口は、いまでは400人を下回るようになった。こうした移り変わりについてたずねると「しょうがないなっていうかさ」と穏やかに答えてくれた。

しかし、人口流出に手をこまねいてきたわけではない。市が運営するさまざまな委員会に参加し、地域を活性化させるための提案を度々行ってきた。

「僕がいま必要だと思っているのは、街中との交通網の確保です。路線バスがあるけれど、往復の金額が高くてね。2年前に中学校が閉校して、街中の学校に通う必要が出てきたことで3世帯が引っ越してしまった。今後、子どものいる家族が、通学の問題からここを出ていくことのないように、金銭的な負担の少ない、使いやすい交通網をつくっていきたいんだよね。運転免許を返納してしまった高齢者も多いし、病院や買い物に行きやすくなるようにって。交通網を整備することで、もっと住みやすい街にすることができるんでないかなっていう気持ちを持ってるんだよね」

Q
040

美流渡のためにがんばったと思うことがあれば教えてください。

A

最近では、移住を希望する人たちのために市と掛け合って、取り壊しが決まっていた公営住宅を活用できるようにしたことです。

美流渡とその周辺地域には、いま少しずつ移住者が増えている。その勢いはこの数年で加速していて、住まい探しをする人が堤さんを訪ねてくることも多くなってきた。しかし、この地域には不動産業者が扱うような賃貸物件はほとんどない。そんななかで、取り壊しが決まっていた公営住宅を移住者支援住宅として残せないかと市にかけあった。

「市の職員のみなさんも頑張ってくれて、なんとか残せるようになってね」

この公営住宅に2019年には陶芸家が南幌町から移住。2020年には画家のMAYA MAXXさん（P107）が東京から移住するなど、個性的な顔ぶれが街に加わるきっかけとなった。

「つい先日も、札幌の人がここに住みたいっていう相談があってね。なんで興味を持ったのかって聞いたら、MAYA MAXXさんが来た街だからって言っててさ。発信力のある人が来ると新たな移住につながるって実感したね。どんどん来てもらったら、うちらもいろいろ受け入れたいと思っているの。段々とお互いにわかり合えればいいんだからさ」

このほかにも、地域外の人々からのさまざまな要望があるという。大学生のフィールドワークの場として何かやってみたいという話や除雪活動をボランティアで行いたいという話など多岐にわたる。

「要望によっては無理だと言う地域の人もいるけど、まずは意見を出し合って煮詰めていって、実際にやっていける方法を探っていけばいいと思うんだ。新しいものを取り入れて街づくりをしていかなくちゃいけないと思っています」

移住者にも移住を希望する人にも分け隔てなく接する堤さん。これまでの慣例にこだわらない柔軟な姿勢はどうやって身につけていったのだろう。

「僕はこれまで酒販店の組合とか、さまざまな会合に参加させてもらって、あるときは教育委員を務めてヨーロッパに研修に行かせてもらったりしたの。親はすごく厳しかったんだけど、どんどん外に出させてくれた経験があったからじゃないかな」

Q 041

なぜ美流渡地区に移住者が増えていると思いますか?

A

田舎だって思っている人もいるけど、生活するのに困らない程度にいろんな機関が揃っているし、都会にも近いってのもあるんじゃないかな。

「美流渡って東部丘陵地域（岩見沢市の山あいの地域）の中心だと思っているんだ。世帯数は200ぐらいなんだけど、市の出張所や消防署、郵便局といった主要な機関が揃っているし、診療所や歯科もある。住みやすい街なんじゃないかと。市街地の人たちのなかには美流渡に行ったことない人もいて、おそらくすごい遠い場所に感じていると思うんだけど、実際には車で30分くらい。僕にとっては街中も仕事の圏内だから、住んでてそれほど田舎だって思っていないよ」

このほか堤さんは、新千歳空港から車で1時間、札幌まで1時間30分と、広い北海道のなかにあって都会に出やすい立地も理由のひとつと考えていた。

Q 042 いつも地域のためを思って活動していますが、その原動力はなんですか？

A この地域にみんなが残ってほしいって気持ちがあるからさ。

「自分もここでずっと生活していて、やっぱりこの地域っていいよねっていう思いがあるんだよね。昭和50年に東京から戻ってきて家を継ぐって言ったものの、岩見沢駅に降りたときは『これからここで生活すんのか』と、実はすごく落ち込んだことがあるの。

その気持ちが変わってきたのは、いろんな会の役員をさせてもらって、だんだん仲間が増えていったからなんだよね」

毎年開催される夏と秋のお祭りや季節ごとの子ども向けのイベントなどで、堤さんの予定はいつもいっぱいだ。イベントの日は一番に会場にやってきて準備をし、ゴミを片付けて最後に帰る。縁の下の力持ち的な役割をこれまでずっと続けてきた。

「行動することが嫌じゃないんだよね。いろんな行事をやって、みんなが喜んでくれたときは良かったなって思うね。若い人は仕事や子育てに忙しいから、なかなか町内会の仕事をやりたがらないんだけど、やんないとなんないことはやんないとなんないんだよね。そこだと思うんだよね」

今後、町内会の役員をどうやって引き継いでいくかを考えるのが自分の役目。そのために魅力ある組織づくりについていつも考えていると言う。

「まず僕がしているのは、行事があったときには来てよねって声をかけること。その繰り返しかなって思うんだ」

美流渡の盆踊り。地域のイベントはほかにも多数。毎年、準備や運営に携わっている。

Q 043 美流渡で50年間、百貨店を続けている理由とは？

A 不便だからって出ていく人もいると思うので、そうならないように体の続く限り商売はやっていかないとならないかなって。

堤さんは商売仲間から、もっと街中に店を持ったらどうかと誘われることもあったという。けれど、ずっとここでやってきて本当に良かったと語ってくれた。とくに新型コロナウイルスの感染が拡大した２０２０年に、改めて地元の大切さを痛感したそうだ。

「市街で商売やっている友だちはみんな大変だって聞くんだよね。うちはおかげさんで売り上げが落ちていない。それに最近、市の事業で地元応援クーポン券というのがあって、市内だったらどこでも使えるんだけど、地元のみなさんはうちで使ってくれるんだよね」

町内会などさまざまな会の役員を続け、お店も開け続けている理由を、堤さんはこんな言葉で締めくくった。

「家でじっとしてたら、だんだん落ち込んできて年老いていくなって感じがするからさ（笑）」

8年前に奥様を亡くされて、いま堤さんは一人暮らし。「慣れるとまあいいもんだよ」とやわらかな笑顔を絶やすことはなかった。

「ときどき嫁さんのこと悪くいう人いたりするよね。『そんなこと言ったたって自分一人で何できんの？　僕みたいに一人になったらわかるって』って言うんだよ。夫婦であればケンカもするし、いろんなことあるけどさ、一人になったら大変なことがいろいろとあるからね。

僕は毎朝5時に起きて仏さんに般若心経と懺悔文《さんげもん》、五観の偈《げ》を唱えているよ。いままでは嫁さんがやってて他人事だったんだけど、亡くなってからはちゃんとやっています。自然とそうなったね」

インタビュー中にお客さんがやってくると、「ちょっとごめんね」と言いながら、レジに向かい世間話に花を咲かせた。また、子どもがお使いに来るとニコニコしながら声をかけていた。

そんなふうに堤さんは、街の灯火を消さないように、今日もお店に立っている。

2020年11月14日取材

06

MAYA MAXX

まやまっくす　59歳

美流渡在住、画家

インタビュアー

三浦綾花　21歳

土屋直之　21歳

木下あずみ　21歳

２０２０年夏、美流渡に新しい顔ぶれが加わった。広い制作スペースを求めて、東京から移り住んだのは画家・ＭＡＹＡ ＭＡＸＸさん。絵を描き始めて30年以上が経ち、いま最も気力が充実した時期を迎え、ここからの10年をどう過ごしていくのかと考えたうえでの決断だった。これまでＭＡＹＡさんの生き方とその言葉に惹かれる若者は多く、折に触れてテレビや書籍、ワークショップの場で対話を行ってきた。今回のインタビューでも、学生たちに向けて、自分なりの体験を通じてわかった「描くことと生きること」についてを語ってくれた。

Q 044 なぜ、美流渡に移住したのですか?

A 北海道は、これまで住んできた場所とものすごく違っていて、初めてのことばっかり。それを体験しにやってきました。これは移住じゃなくて冒険です。

愛媛県今治市出身で、東京や京都をベースに活動を続けてきたMAYA MAXXさんが移住したきっかけ。それは美流渡で取り壊し予定だった公営住宅を、町内会長の堤理光さん（P93）が移住者支援のために残そうと市に働きかけたことによる。

「さあ、これからどうやって絵を描いていこうかというときに、友人で美流渡に住んでいた來嶋路子さん（本書の編者）から、公営住宅を残そうとする動きがあるので、借りたらどうかと言われて。『そうだねえ、いいねえ』って思いました」

MAYAさんは、1993年に画家としてデビューし、東京を中心に活動を展開してきた。2008年からの10年間は、京都をベースに、何必館・京都現代美術館で毎年のように個展を開催。2018年末に再び東京へ戻り、アトリエを借りて制作を始めていたところに、この話が持ち上がった。東京のアトリエの広さは十分とは言えなかったため、北海道にもアトリエをつくって、二拠点で活動することを当初は考えていた。

「東京で一番贅沢なのは空間を手に入れること。家賃が高いので、例えば絵を描く仕事をしている人は、東京近郊の車で2、3時間で行けるようなところにアトリエを持つのが一般的です。でも、よく考えたら、羽田空港と新千歳空港の間は飛行機の便数も多いし、金額的にもそんなに無理がかからない。だったら思い切って、遠いなら遠いほうが、気候も風景も何もかも違うから、初めてのことが体験できていいじゃんって思いました。私は今治で育って、いままで一番北が東京だったんですが、子どものころからアイヌやイヌイットといった北方の人々にすごく惹かれていたということもありました」

美流渡の公営住宅は、4世帯が入った長屋の1棟だった。その2世帯分をアトリエに、1世帯分をギャラリーに、もう1世帯分を住まいに改修。2020年2月から改修は始まったが、新型コロナウイルスの感染が拡大し、気軽に都道府県の行き来が難しくなるなかで、東京のアトリエを引き払い美流渡に完全移住することを決断した。

Q 045 新しい場所で暮らすことに何か不安はありませんでしたか？

A 生きていることがファンタジーだと思えば、不安は感じません。

「美流渡に来て4か月くらい経ちました。これから本格的な雪を経験して、どんなものかっていうのを知りたいの。初めてのことって一回しかないから、大事に大事に慎重に見て感じていこうと思ってるんです。そして雪が溶けたときに、一斉に季節が動き始めるじゃない。それってどんな感じなんだろなっていうのもすごく楽しみ」

岩見沢は北海道有数の豪雪地帯。しかも美流渡は駅まで車で約30分かかり、便利な都会での暮らしとは異なる点が多い。移住に対して不安を感じる点はなかったのだろうか？　そう学生がたずねると……。

「もちろん現実はすごく厳しいいし、そんなにうまくは行きませんよ。でも生きていることが最初っから不安と考えれば、美流渡に来てから急に不安になったりはしないんですね。『移住』って言葉は現実感が強い。現実に即して間違いなく上手に生きていこうと思ってると不安になる。だけど自分が移住ではなく『冒険』って言葉を使うと、そこにはファンタジーが発生するでしょ。ファンタジーの主人公はつねに自分。生きてることがファンタジーだと思えれば、不安をあんまり感じないんですよ。例えば冬の装備にいろいろお金がかかっても、自分はトム・ソーヤだから仕方ないって思えてくるしね」

コロナ禍となって予定していた展覧会が中止や延期となり、MAYAさんの活動にも大きな影響が出ている。ファンタジーとして捉えることとともに、つねにある不安とどう折り合いをつけるのか、さらに話は続いていった。

「いま収入も、すごく減っているけれど、それを『直視』しないようにしています。今年はまずいぞって『把握』はするけれどね。直視っていうのは、『どうしよう、何かしなくちゃ』って焦るんだけど、解決方法がないことも多い。だから現実の問題を自分の意識にのぼらせずに、なんとなく把握したうえで、それ以外のことに意識を向ける。そしたら案外楽しいことがあったりとか、ほかのことが見えてきたりするんだよ。その方がハッピーなんだよね。だから経験って大事。ひとつのことしか知らなかったら、それを直視するしかないけれど、いろんなことを知っていれば、選択肢ができるからね。若いときは、ピンとこないかもしれないけれど、40歳くらいになったらちょっとわかると思うよ。いまは『わかんない、わかんない』ってワサワサと動いてほしいしね」

Q
046
東京という都会と何が違いますか？

A
ある程度、人生を一回りやってみると、どこにいても同じかな。

「もちろん美流渡には、コンビニや大きなスーパーなんかないから違うところはたくさんありますが、どこにいたとしても、もういいんです。ある程度人生を一回りしてみると、最初から自分の知りたいことは、結局自分のなかにすべてあるんだと思えるようになりました。そうじゃない答えを若いときは探していて、旅をしたりいろんな場所に住んでみたりするんだよね。その経験をしたから、いまここでなんの不自由もありません」

コロナ後に、いろんなところに行ってみてほしいと語ったMAYAさん。ネットでさまざまな情報が入手できる時代になったが、実際に体験することの重要性を強調した。
「最後は自分が自分に問いかけて解決するしかないけれど、そのための基礎をつくるには経験が大事ですよ。柔軟性であるとか、決断力であるとか、情報の収集力であるとか、そういうものをつくっていくためにね」

Q
047

変化をとてもポジティブに捉えていると感じました。ただ、人はつねにプラス思考ではいられないとも思いますが、どうでしょう?

A

変化しようと思わなくても、毎日変化しているんだよ。だってさ確実に少しずつ人間は死にむかっているんですよ。

学生との年齢差はおよそ40歳。いずれ死というものがやってくると実感できる年齢と、そうでない年齢では、変化というものの感じ方も異なっているとMAYAさんは語った。

「歳をとってくると、残りの時間が限られてるのがわかってくるわけ。それがわかると、ポジティブっていうのとまた違ってね、うかうかしてる場合じゃないぞ、時間はないぞって焦ってくるわけ。やっぱり自分がこうなりたいっていう思いを達成して死にたい。そのためには少しでも何かひとつよくなりたい。つねに、昨日より今日のほうがよくなりたい。自信をもって死ねるくらいのいい作品をつくりたいんです」

一歩でも前へと進もうとするMAYAさんだが、それでも生き続ける意欲が、年齢とともに薄らいでいくと感じられることがあるという。そのとき冒頭でも語った「ファンタジー」という考えが役に立つのだという。

「生き続けるのは大変。でもやろうって思うのは、自分が物語の主人公になって、それを乗り越えていくというファンタジーですよね。最近は、自分のなかに能動的な気持ちをわき立たせる、何かの一滴みたいなものをぽたんと落としてあげるだけで、ワーってそれが広がって波紋みたいになっていくのをコツとしてわかってきました」

Q 048 画家になろうと思ったのはなぜですか？

A 一生頑張ってもできないことを自分はやったほうがいいと思ったからです。

「小さいころ、絵が好きってわけじゃなかったの。絵具出したり洗ったりとか、面倒くさいでしょ。勉強できたし本を読むのもすごく好きだったから文章を書く仕事をするのかなと思っていたんですよ。優秀だったけど、唯一絵だけは評価されなかったのね」

上京して入学したのは早稲田大学。入学式も卒業式も参加しないような学生だったそうだが4年間で卒業。同級生らは就職する道を選んでいったが、MAYAさん自身はサラリーマンになるというイメージがまったくわかなかったという。

「うちの家は歓楽街にあるパチンコ屋だったの。まわりは全部自営業。だからカバンを持って同じ時間にどこかへ行く人を一度も見たことがなかったのね。就職っていう感覚がなかったし、そのときは、何がしたいのかわからなかった」

子どものころから大抵のことは、すぐにコツをつかんでこなすことができたという。そのため、簡単にわかってしまう仕事をしたら、長くは続かないと感じていたそうだ。

「だから一番大事なことは、自分が一生かけて何がしたいのかっていうのを見つけることだって思ったわけ。バ

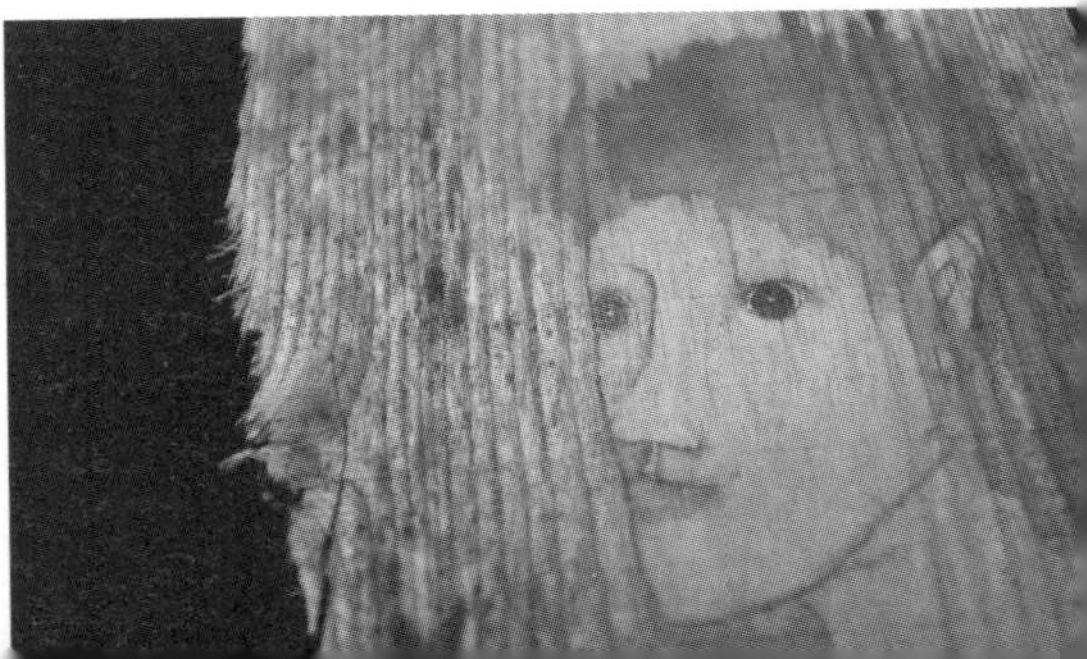
木材が豊富に手に入る北海道。皮のついた木の板に直接描くというチャレンジも始めた。

イトしたり、ちょっと引きこもったり、友達の家を泊まり歩いたりして、卒業してもぶらぶらしてた」

27歳のころ、イベントスペースでアルバイトをしていたときに、人生を決定づける出会いがやってきた。このスペースで開催される展覧会のポスターをギャラリーに配って歩くという仕事をしていたときのことだ。

「彌生《やよい》画廊（東京）の前を自転車で通ったのね。そのとき目の端に何かすごく美しいものが見えるぞって思ったわけ。それが有元利夫さんの絵だったの。38歳で癌で亡くなってしまって、没後すぐの個展だったんです。彌生画廊は汚いスニーカーを履いている私なんかには敷居の高い場所で、恐る恐る入ってみたの。そしたら、もう夢のようだったのね。あまりにも美しかったから。お金なくて画集も買えないし、目をカメラのようにして一枚一枚記憶に焼き付けて、1時間以上見てたのね。帰るときに画廊の重たいドアを押し開けたとたん、絵を描いてみようかなと思ったんですよ、突然。

その日のバイト代の6300円をもらって、そのまま新宿世界堂っていう大きな画材屋さんに行きました。アルバイトのお兄さんに『今日から絵を描きたいんですけど何を買えばいいですか？』って聞いて。アクリル絵具が使いやすいと教えてもらって、筆と小さな板に貼ったキャンバスと、技法書を買って。夜帰ってきて本を開いた最初に『りんごを描いてみましょう』ってあったから、一生懸命描いて。その日から今日までずっと絵を描いてるっていうことなんですよ。だから独学です。普通だったら絵を教えてくれる教室に行こうとするじゃない？　自分はそうしなかった。うまく人から習うことができない性格だったし、習ってどうするんだっていう気持ちもあったのね。

やっぱりいま人生を振り返ってみると、自分を安く売らない、本当にそう思えるまで時間を待つってことが大事でした。だけど逆に絵を描くって決めたら、今度は時間を待たない。その両方は、いまでも自分が偉かったなって思うよね」

しかし一生をかけて絵を描いていこうと決心したものの、ここからMAYA MAXXとしての活動が軌道に乗るまでには月日を要した。

「絵を描いても誰に見せるわけでもないんだから、どんどん引きこもっていって。そしたら具合も悪くなって、精神状態も悪くなって。このままじゃ本当に死んじゃうかも、けれどなんとかする勇気も体力もなかった。そんなときに本を読んでいて、『必死』っていう言葉だけすごく明るく見えたの。この言葉は必ず死ぬってことじゃん。だから必死なんだよね。そこで急に井戸の底に石がカツンと当たったような感じに思ったわけ。いま何が自分を悪くしているのかに気づいたの。ひとつはお金がないこと。もうひとつは自分が本当に描きたい絵を描いていないこと。そこで、まずアルバイトの雑誌を見て、わりと近所で朝4時間だけ掃除する仕事をやろうって。それと、有元さんの絵と似たような絵を一生懸命描いてたの。それがいけないんだ、本当に描きたいものを描いて、だめならやめればいいんだと思うようにしました。で、掃除のバイトでだんだん体力が復活してきて、最低限のお金で生活も回るようになって。お昼からの時間を自分の使いたいように使うようになりました」

32歳で初めての個展を東京で開きMAYA MAXXとしてデビュー。その後、毎年個展を開いたが、清掃のアルバイトは並行して続けていった。

「絵を描きたいんだったらデザイン事務所とかでバイトするって考えもあると思います。いろんな人と知り合いになってコネクションができるかもしれないし。カットなんか描いて、少しずつ認められることもあるかもしれないけれど、直感的にそれはしないでおこうと思ったのね。それに掃除はあなどれないものでした。きれいにするという心がけは何事にも大事なんですよね」

清掃の仕事は7年間続けた。『ポンキッキーズ』という子ども番組への出演が決まったことが辞めるきっかけとなった。朝早く子どもと一緒にロケに行かなければならなくなったからという。このときMAYAさんは38歳になっていた。ラフォーレ原宿で大規模な個展を開催し1万2000人という動員記録を残した。

Q 049 つねにアクティブに行動できる原動力とはなんですか?

A 何かをひとつでも知りたいし、ひとつでも味わいたいし、ひとつでもつくっておきたい。

MAYAさんは7月に美流渡にやってきてから、一日たりとも休まずに精力的に活動を続けている。絵を描くだけでなく、あるときは近くにある工芸館で陶芸をし、またあるときは書を書いている。このほか道内各地に出かけては、その土地土地の風景に触れ、それを自分のなかに取り込んで絵に発露させている。暮らしのすべてがいい作品を描くためにはどうしたらいいのかという一点に収斂されている。

「当たり前のことだけど、一個でも自分が何かをつくらなかったら、何も存在しないんだよ。有ると無いとは全然違うんだよね。夜はウイスキーを飲みながら、今日見聞きしたことをネットで調べたりしてるの。若い人が聞いてる音楽ってどんなものかなとかね。好きか嫌いかじゃなくて、それがなんなのかっていうのは知っておきたいわけ」

そう語るMAYAさんは、表現をするうえで、ずっとなくしたくないと思っているも

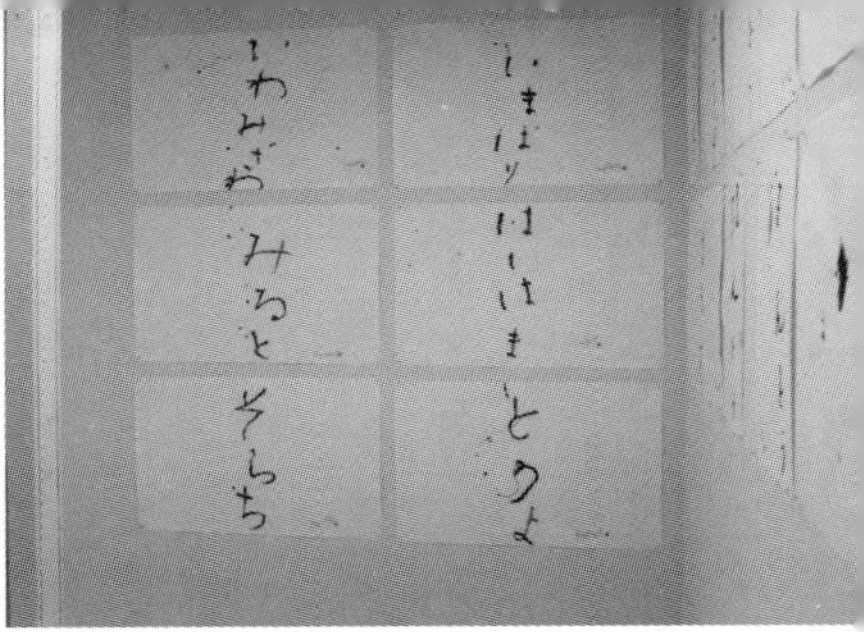

一日一枚ずつ書いていた書。「東予」地方である「今治」の「波止浜」で生まれ、いま「空知」地方の「岩見沢」の「美流渡」にいることを表している。

のがある。それは「下手でいること」。絵だけでなく、陶芸や書など多彩な表現に挑戦するのは、同じ行為を続けていると、ある時点で手馴れてくるからという。手馴れてきたら、いったん手を止め、画材や表現方法を変えて取り組む。「本当に自分にできるのだろうか」という謙虚でフレッシュな気持ちでいることが何より大切だという。

「絵を描いてみようかなっていうのは人生のなかで一番の直感でした。誰にも絵を習わないほうがいいと思ったこともね。なぜなら絵が上手い人は世の中にごまんといる。いまから自分が追いつけるはずないんだから、自分はこの下手さをなくさないようにしようと思って、ずっと下手でいることを努力したんですよ」

美流渡へやってきて、ＭＡＹＡさんの表現は新しいステージに入っている。いままでの作品は、黒や赤、青など、シンプルな色合いが中心だったが、日々、山や森の風景を見るなかで、さまざまな色彩が画面にあふれ出している。

２０２０年11月６日取材

07

岡田博孝

おかだひろたか　57歳

美流渡在住、安国寺住職

インタビュアー

菊池真央　21歳

長濱綾　21歳

伊藤五甫世　21歳

土田千夏　21歳

山の傾斜の上に立つお堂へと続く階段を上ると広間で岡田博孝さんは待っていてくれた。インタビューを前に学生は「あの……、とても緊張していて」と前置きをして、深呼吸をひとつしてから質問を投げかけた。終始ニコニコと微笑んでいた岡田さんであったが、話を聞いていくと、その笑顔の裏には意外な一面があることがわかってきた。

Q 050

美流渡で暮らし始めたころのことを教えてください。

A

昭和44年、炭鉱閉山の年に引っ越してきました。
当時5歳です。
その後、小学校に入学したんですけど、
毎日のように友だちがいなくなっていくんですよ。
閉山というのは、
ただごとではないんだなと思いました。

美流渡に大正４年に創建された安国寺は、山の傾斜に立つお寺。春には桜の花が咲き、秋にはイチョウの木々が色づく。鹿や狐がひょっこり現れることもある。

インタビューをしたのは、このお寺の四世となる住職の岡田博孝さん。１９６３年に美唄市で生まれ、両親とともに美流渡へやってきたのは炭鉱閉山の年。岡田さんが小学校に上がったときが人口流出のピークだったという。

「朝学校に行くとまた一人、次の日にまた一人といなくなっていく。1年経たないうちに2クラスが1クラスになってしまって。子どもながらに、このお寺をどうやってやっていくのかなって感じていましたね」

岡田さん一家が来る以前、安国寺には住職が不在だったそうで、建物はかなり痛みが激しかったという。

「一から出直すような感じだったと思います。納骨堂といっても、ただ棚があるだけのような状態でした。そこで、沢を埋めたり、盛り土をしたりと整地をしてから、本堂や納骨堂の立て直しを両親は行いました。炭鉱とともに歩んだお寺でしたので、檀家さんの多くはその関係者。建物も手づくりで、檀家さんと一体となってつくり上げました。ただ、檀家さんもどんどん離散していきますし、お金はかけられない。父は空き家となった炭鉱長屋の廃材を使って、お寺の建て増しをしたりと工夫していたと思います。

このほか仏具や椅子など必要なものを檀家さんの寄付によってひとつひとつ揃えていくことができました。どこのお寺も同じだと思うんですが、置かれているもののほとんどに寄付してくださった方の名前がある。お孫さんが『あっ、おばあちゃんの名前があったよ』とか、そういう発見をすることもありますね」

Q 051
子どものころの商店街の賑わいはどんな様子でしたか?

A
まだ活気はありましたね。美流渡駅前にはパチンコ屋さんや銀行、農協などいろんな店が並んでいました。「おまけ屋さん」によく通っていましたね。

「つつみ百貨店(P93)の隣におまけ屋さんってあったんですよ。文房具だとかいろんなものが売ってました。その角から、ずらっとお店が並んでいました」

商店の灯はひとつずつ消えていったという。そんななかで、岡田さんは進学のために上京。その後、横浜にある曹洞宗の本山・總持寺《そうじじ》で1年半の修行をし、美流渡へと戻った。その間、万字線は廃線となり美流渡駅もなくなった。街の風景は変わっていったと思うが、岡田さんは意外なほどそれを自然に受け入れていた。

「ほかに比べるものもなかったし、自分のなかでこれでよいと思えばこれでよかったと。

う〜ん、なんて言えばいいかな、これが普通だと思えば普通というか。バスも走っていたし、いろんな面で不都合なことは何もなかったので。とくに学生のころは、身に染みて困ったってことがなかったからかもしれません」

岩見沢市内のお寺の手伝いなども行ったのち、2006年に安国寺の住職となった。

Q
052

月1回坐禅会を開いていたと聞きました。どんな反響がありましたか?

A

SNSでしか告知しなかったので、人が来るのか不安がありました。いざやってみると結構関心が高くて。ああ、みなさんがこんなに求めていたんだということがわかりましたね。

檀家さんと一緒になってつくりあげたという本堂。豪雪のなかにひっそりと建つ。

岡田さんは数年前から寺子屋をやりたいという夢を持ち、そのひとつのアクションとして2018年から月1回の坐禅会を始めた（現在はコロナ禍のため休止）。地元の人だけでなく札幌などからも人が訪れ、小学生から高齢者まで年齢も多彩。さらには美流渡の隣のエリア、毛陽の果樹園で働くワーキング・ホリデイを利用して来日した、カナダやニュージーランドなど各国の若者も坐禅に挑戦した。

「外国の方たちはすごかったですね。一回でやり方を覚えて、姿勢も素晴らしかった」

坐禅の後には茶話会も行われ、子どもは広間でワイワイ遊び、大人たちは日々の暮らしについて語り合った。このとき住職は聞き役に徹していたのだという。

「坐禅をしにみなさん来てくれますが、誰かに話を聞いて欲しいということもあるんじゃないかと思います。坐禅と茶話会は、ある意味セットみたいなものですね」

Q 053 寺子屋や教育に関心を持ったきっかけは？

A 自分の子どもが学校に通っていることが一番大きいですね。

安国寺の道路を挟んで向かいには、美流渡小学校と中学校があった。岡田さん自身が通い、また息子さんも通った学校だったが、２０１９年３月に閉校となった。閉校当時の人数は小学校が７名。中学校が９名。このとき岡田さんはＰＴＡ会長を務めていた。

「ＰＴＡ関係の仕事をさせていただいて、いろんなことで感銘を受けたり刺激を受けたりしたことも寺子屋に興味を持ったきっかけです。なぜ、美流渡でやるのかと言えば、もちろん自分のお寺があることがひとつ。そして、やっぱりここでしかできないことがあるからだと思います。この地域の良さとか、そういうことも含めて教えることができればいいなと。

お寺っていうのは人が集まるのが一番大事です。葬儀とか法事とか、そういうものに焦点が当てられてしまうけれど、もっとお寺に足を向けていただいて、時代時代にあったことを学んでもらいたいというのがあります。例えば、坐禅会は国際色豊かでしたし、この地域には外国の方も移住してきていますので、英会話もやってみたいですね」

Q 054

小中学校の閉校については、どのような意見をお持ちですか?

A

本当になんとかしたいっていう気持ちはあったんですよ。何か方法があれば残したいっていう気持ちが最後まであったんですけど……。

「なんとかしたいという思いがあった」

岡田さんは言葉をつまらせながら、そう何度も語っていた。閉校間際の小中学校の人数はわずかだったが、生徒もその親も、学校を存続させたいという願いがあった。ただ、大きな課題となったのは、地域の子どもたちの年齢分布を考えたときに、数年先に中学校へあがる子どもが一人もいない期間ができてしまうという事実だった。

「このブランクがなければ、まだなんとかしようと私は思ってたんですが、うーん、やっぱり続けていくのは厳しいかなと。仮に3年間、生徒が中学校に入学しないということになれば、学校を一旦止めなきゃいけないっていう可能性があるじゃないですか。それぞれの親御さんも継続させようと頑張ってくれたんですが、現実は叶わなかったんです。それは、もう私の力の至らないところだったなって思ってます。うん。だから残念だってことです。いまでも本当に続けたいぐらいです。ここに学校があって欲しいです。学校の窓には板が張られてしまって、寂しいじゃないですか。やっぱり子どもたちの笑い声が聞ける

安国寺の向かいに建つ閉校となった美流渡小中学校。1階には板が打ちつけられている。

のが一番いいんです」

安国寺は学校とともに歩んできたお寺。お寺の窓からは校舎が見える。人気のなくなった校舎を見つめながら、岡田さんは日々どんな思いを巡らせているのだろう。

Q 055 今後の寺子屋の展望は？

A こんな時期だからこそ、人が集まって笑顔になる場所にしていきたいですね。

「おそらく最初は、自分でできる範囲からでしょうね。考えてみれば坐禅も寺子屋のひとつですから、もう始まってるかなと思うんです。そこに、どんどんつけ加えていきたいというのはありますね。笑い声が絶えない、そんなものにしていきたいなって思います。

私にはひとつ好きな言葉がありまして、仏教の言葉で『和顔愛語』ってあるんですよ。これはその字の通りなんですけど、優しい顔に愛のある言葉。常にこの言葉をもって普段の生活をしていきたいなって。寺子屋においても、これを心のなかにもってやっていきたいなっていうのがあります」

岡田さんは和顔愛語について書かれた冊子を手渡してくれた。そこには、真心のこもったやさしい言葉という意味とともに、その人を思って叱る言葉や、立ち直るために厳しく語る言葉も愛語であると書かれていた。

Q 056 笑うことは、なぜ大切だと思いますか?

A 救われるんですよ。

「釧路に本寺があるのですが、そこの御住職がとにかく小さいときに笑わない子だったそうです。で、お師匠さんは、どうにかしてこの子を笑わせようと考えたそうで、人前に行ったらつくり笑顔でもいいから笑えと。そう言われて、それを生涯貫いたそうです。そうすることによって、とにかく人が集まったと言います。優しい笑顔があって、そこに優しい言葉をかけられたら、誰だって嫌な感じがしないでしょ」

インタビューでも終始笑顔を絶やさなかった岡田さんだが、この話の後に「実は、私もあまり笑わない方なんですよ」と付け加え、普段ほとんどしないという打ち明け話をしてくれた。

「あのね、一番苦手なのは人前に出ることなんですよ。極端な話、子どものころから人が来たら隠れるような感じですからね。でもね、私思ったんだけど、自分がそうであった方がいいのかもしれないと。それだけやっぱり自分で気を使ったりしますからね。これも修行だと思ってるから。自分に課せられた修行だと思ってる」

インタビュー中も終始笑顔を絶やさなかった岡田さん。「和顔愛語」を日々実践する。

Q 057

人前に出ることが苦手とのことですが、どうやって克服しているのですか？

A

緊張があるときの方がいいんですよ。緊張がなくなったときの自分は、自分じゃない。

住職として、さまざまな場面で人前に出ることが多い仕事にもかかわらず、実は苦手と告白してくれた岡田さん。話を聞いていくと、それを克服するよりも、自分らしさとして付き合っていこうとしているように感じられた。

「その時その時で葛藤がありますよ。本当に。いやでもね、でも反対に、慣れてきたときの自分が怖い。緊張がなくなったときの自分っていうのは、それはスムーズでいいのかもしんないけど、でもそういうときって自分じゃない。ある程度の緊張感をもってやってないと、なんかダメだなって感じるんですよ。わかるかな。あれも話せばよかった、これも話せばよかったって思うときの方がいいんですよ。みんなに伝わってるんです。

スムーズにいったとき、自分で出し切ったなってときは伝わってないんですよ。寺子屋をやろうとしていて、人に会わないと始まらないのに、はにかみ屋だとかなんとか言っている自分が恥ずかしいですね（笑）」

コロナ禍ということもあって、なかなか人が集う場をつくりにくい状況となっているが、岡田さんはゆっくりと着実に、寺子屋という夢に向かって進んでいるように感じられた。

２０２０年10月30日取材

08

岡林利樹
岡林藍

おかばやしとしき　41歳

おかばやしあい　39歳

万字在住、アフリカ太鼓奏者

インタビュアー

本間悠介　22歳

藤田泰圭　22歳

工藤聖奈　21歳

美流渡から毛陽を越え、さらに夕張方面へと車を走らせると、人口70人ほどの集落・万字地区がある。その中心部から川沿いの山道に分け入っていくと、岡林利樹さん・藍さんの家へとたどり着く。二人は世界中を旅しながらアフリカに赴いて太鼓を学んだ経験を持ち、3年前にここに移住した。学生たちが訪ねると利樹さんは家のまわりを案内してくれた。広い敷地には廃材で建てたという小屋が並んでおり、その傍らには太陽光パネルが設置され、奥には畑があった。二人はアフリカ太鼓の奏者として活動をしながら、エネルギーや食料の自給率を上げていこうと暮らしの挑戦を日々続けている。

Q 058 世界を旅して、一番居心地のよかった国はどこですか？

A 僕はタイランドです。—利樹さん
私は住むならスペインがいいと思っていました。—藍さん

岩見沢市出身の利樹さんと石川県出身の藍さんは、それぞれ大学在学中に旅に目覚め、バックパックを背負って世界各地を訪ね歩いた。利樹さんは、東南アジア、インド、ネパールなどをめぐるなかでアフリカ太鼓に出会い、ストリートで演奏をしながら、旅を続けていた。藍さんは、中国、タイ、カンボジアなどを旅し、一時は就職したものの、旅した時間が忘れられずに退職。日本各地を旅行するなかで利樹さんと出会った。

当時、利樹さんは本場で太鼓を学びたいと考えており、二人はアフリカを目指すことにした。まずバリ島までの格安航空券を入手。ストリートで太鼓を叩くなどして資金をためながら島々を渡っていった。インドに到達し、ターコイズなどの石を仕入れアクセ

サリーづくりも始めた。インドの次にヨーロッパへと渡って資金を増やし、ついにアフリカのセネガルへとたどり着き太鼓を数か月学ぶことができた。その後、いったんヨーロッパに戻り再びアフリカへ。今度はブルキナファソで太鼓の練習をしたそうだ。

こうした世界各地を訪ねた経験から、利樹さんは特に惹かれたのはタイだと答えた。「温暖な気候と美味しい食べ物。人々のキャラクターに魅了されました」（利樹さん）

藍さんは、住みたい場所という視点で考えるとスペインが一番だったという。「もうすべてが最高。人もすごくゆったりしていて、四季があるし、経済的にもユーロ圏はやっぱり強いし」（藍さん）

Q
059
なぜ日本に戻ろうと思ったのですか？

A
親兄弟もいるし、生まれ育った土地だし、やっぱり言葉の壁もありましたね。—利樹さん世界をめぐりアフリカで太鼓を学んだ旅は、4年の歳月を費やした。その間、海外への移住を考えた時期もあったが、二人は帰国を選んだ。

「旅先で覚えた『野良英語』だと、片言でコミュニケーションは取れるんですが、深い話になってくると入っていけないなと感じていました」（利樹さん）

帰国して二人は札幌でライブ活動やアクセサリー販売を行っていたが、結婚を機に岩見沢市に転居。利樹さんは父親が営む建設会社で働くようになった。

「朝から晩まで本当に忙しかったんですが、それまで就職したことがなかったし、やっぱり僕の人生はこれじゃないと思いました」（利樹さん）

あるとき利樹さんは、万字に家を見つけた。会社の取引先だった家主は、ちょうどここを手放したいと考えており、約3000坪の土地と小さな家を手に入れた。

廃材でつくった小屋が並ぶ。右の二つは鶏小屋。うみたての卵は何よりの御馳走。

Q 060

自然のなかで生活するためには、生きていく力が必要だと思います。便利なものに頼らない暮らしについてどんな考えを持っていますか?

A

生きていく力っていうよりも、やりたいという気持ちがあれば誰でもできると思います。—利樹さん

小さな家にまずは身を寄せつつ、利樹さんは建設会社で学んだ知識を生かして小屋を次々と建てていった。鶏小屋、カマドで煮炊きする小屋、お風呂の小屋など。二人はガスの契約をしておらず、煮炊きもお風呂も薪を使う。

「お風呂に入るにも準備に時間がかかります。水を汲んできて、薪ボイラーで温めて」と利樹さんは笑顔で語る。あるときは延々と薪割りをすることもあるというが、誰かにやらされているわけではないので、苦痛にならないという。

「例えばロボット掃除機を使おうとか、ボタンを押すだけでお湯が出るようにしようと

か、みんな忙しいからしていると思うんですね。仕事にほとんどの時間を取られている。あたしらは、経済活動を重要視していない（笑）」――（藍さん）

「生活のための仕事がたくさんありますが、僕らのためだと思うと楽しみながらできます。もちろんお金は必要ですが、大きく稼ぐわけではありません」（利樹さん）

経済活動として行っているのはアフリカ太鼓の演奏や太鼓教室の開催、アクセサリーの販売、美流渡地区でのゲストハウスの運営だ。そのほか、利樹さんは人手不足の地域の農家を手伝うこともあるという。

Q 061 どんなときに万字に移住してきてよかったと感じますか？

A いや〜、もう全部ですね。――利樹さん

この質問に二人は「ここでの暮らしは最高」と口をそろえた。その理由として「空気が美味しい、水も美味しい」と語った。空気という言葉には、この地の風景も含まれているという。小さな滝があり、どこを眺めても山が見え、鳥のさえずりが聞こえる。

さらに旅の間にはできなかった、小屋づくりや保存食づくりができることも喜び。旅とはまた違った楽しさにあふれているのだという。

Q 062 世界を見てきた岡林さんにとって、日本にはどんな課題があると感じますか？

A 日本の課題として僕が考えたいのはエネルギーをどうするかです。—利樹さん

「世界に出る前は、日本って自由度がそんなになくて、あれダメこれダメってルールばかりで、そんなところが嫌で外に飛び出したいと思っていました。例えば、家の屋根の雪が隣に行っちゃっただけで問題になってしまったりとか。ですが、いまとなってはそこが問題だとは思いません」（利樹さん）

利樹さんにとって、日本の課題が鮮明に浮かび上がったのは10年前の東日本大震災。福島第一原発の事故に大きなショックを受けたという。

「こうした事故を絶対に繰り返してはならないと思います。原発に代わるエネルギーを

3匹の北海道犬と暮らす。畑の近くにつないでおくと野生動物たちが寄ってこないという。

見つけていかなければならない。僕はテクノロジーのことはわからないですが、自分がまずできるのは薪生活だと。あとは節電を考えてソーラーパネルも設置しました。食料よりエネルギーの方が自給しやすいと思うんですよ。冬は薪ストーブで料理もできるし、灯油はいらないと思います。いまのところ車の燃料には手が回っていませんが、バイオディーゼルとか天ぷらカーとかにも注目しています。できるところから無理せず少しずつエネルギーの依存を減らしていくことが大事なんじゃないかと。以前から経済が回る裏には自然破壊という行為があると思っていました。地球をめちゃめちゃにしてまでお金をつくって、欲を果たしていくという意識の方向性は、もう長くは続かないだろうし、シフトを変えていってもいいんじゃないかなって思います」（利樹さん）

Q 063 これからやっていきたいことはなんですか？

A 僕らはまだ生活の立ち上げ時期。やりたいことつくりたいものがいっぱいある。—利樹さん

この3年の間に、二人は家の周りのさまざまな整備を行ってきた。今年は畑を広げようと何トンもの土を運んだ。ここはもと万字線の線路用地。土からは多量の砂利が出てきて作物を育てるのには適しておらず、農家の知り合いから土をもらって運び入れたそうだ。そんなふうにひとつひとつ、やりたいことを形にしている。

「かなり急ピッチでやっていますが、まだ軌道に乗っかっていないと思っているんですよ。母屋も小さいから増築したいし、太鼓の音楽スタジオやゲストルームもほしいって思っています。さらには多目的スペースみたいな大きな東屋もつくって。建築面ではその辺かな（笑）。農業ももっとやりたいですね。いま野菜ばかりですけど穀物もやっていきたい。米はハードルが高いけど、水田はつくりたいなあと。いまは自分らの生活で

いっぱいいっぱいですが、地域でイベントもやって貢献していきたいですね。こうあるべきっていうのは高くもっていたほうが、やりがいがありますね」（利樹さん）

Q 064 これから万字がどんな場所になってほしいですか？

A 子どもが楽しいと思える場所になってほしい。―藍さん

２０１９年に長男が生まれたこともあり「友だちがもっと増えたら」と藍さんは語っていた。現在、万字地区全体で幼児は数人だが、子育て世代が新たに移住してくる可能性もあると二人は期待を寄せている。

「ここのエリアは最近、注目され始めているんじゃないかと思うんです。自然は豊かだけど、札幌にも近いから、移住者も来やすいですし。似たような感覚を持った人が集まってきたら、面白いんじゃないかと。みんなでそれぞれできることをやって、自然と盛り上がって楽しい地域になっていったら。子どもたちがのびのびできる環境にできれば僕らはうれしいですね」（利樹さん）

Q 065 いろんなことを実行する行動力は、どうやって身につけたんですか？

A 何事も一歩目だと思うんですよ。一歩踏み出すか、踏み出さないかだけ。—利樹さん

「一歩踏み出せたら、あとは二歩、三歩と転がっていくもんです。万字に住み始めたのも同じです。住んでしまったら、あとはまわりとの関係性が必然的にできて、近所のおじいちゃんおばあちゃんが本当に世話焼いてくれるしね。だから、やりたいなっていう自分の心にできるだけ正直に生きていくっていうのが、僕の理想というかなんというか。本当はこうしたいっていうのがすごく大切なんじゃないかって」（利樹さん）

利樹さんはそう言って笑うが、踏み出すことに不安は感じないのだろうか？　そんな質問を投げかけると藍さんが答えてくれた。

「もちろん不安はあるよね。例えば私は大学卒業するとき、ここで就職しなかったらどうなるんだろう、一生季節労働をしていくのかとか、不安はあったなあ」（藍さん）

藍さんの言葉を受けて、利樹さんはアフリカで体験した話をしてくれた。

「でも、僕はもういまは開きなおっている。アフリカで暮らしていたとき、日本とはもちろん比較できないんだけど、非常に貧しくて食べるに食べれない子どもたちをたくさん見てきました。そういう場所に身を置くと、自分の経済の不安なんてとても小さなことだと思いました。それよりもっと立ち向かわなくてはならない問題があるはずです。原発をなんとかしたり、海洋汚染や森林破壊をなんとかしたり。僕らができることは何かと考えてたどり着いたのがこの生活です」（利樹さん）

現在、新型コロナウイルス感染の拡大によって、太鼓の演奏の機会がかなり減っている。またゲストハウスも予約が埋まらないというが、それでも不安はないという。

「いま本当にコロナでいろいろ変わってきています。でも、あんまり心配しすぎずに、それを受け入れてシフトチェンジなのかなって」（利樹さん）

コロナであってもなくても、暮らしのための仕事はたくさんある。影響を受けているのは二人にとって割合が高くない「経済活動」の部分だけとも言える。

「いまは、生まれたこの子を育てるってことを大切にしていきたい。一言でいえば、なるべく自給的に生きていきたい。それにはまず楽しいかどうかが非常に重要だと思います。日々、楽しめるかどうかですね」（利樹さん）

２０２０年11月27日取材

09 Nicolas Boulard

ニコラ・ブラー　44歳
パリ在住、アーティスト

インタビュアー
大堀圭悟　21歳
大竹晴哉　22歳
澤谷花　21歳

通訳
平岡智成

プロジェクト・コーディネーター
小田井真美

パリ在住のアーティスト、ニコラ・ブラーさんは美流渡の150坪ほどの土地で作品制作を行おうとしている。2年前に岩見沢を訪れたときに市内のどこかで作品を設置してみたいという構想を持ち、翌年に各地で土地のリサーチをするなかで美流渡に出会ったことがきっかけとなった。この来道から8か月が経ったいま、ニコラさんはここでどんなプロジェクトを始めようとしているのだろう。パリのアトリエにいるニコラさんへ、学生たちがオンライン上で取材を行った。

Q
066

美流渡に興味を持ったきっかけは?

A

最初は岩見沢の市街でプロジェクトを行うことを考えていましたが、土地を手に入れるのであれば美流渡がよいのではと知人にすすめられたことがきっかけです。

ニコラ・ブラーさんは、フランスで現代美術作品を発表してきたアーティストだ。主に取り上げてきたモチーフは、ワインやチーズ、水、土壌に関連するもの。彼の生家はシャンパーニュ地方で7代続くワイン生産者であったことから、厳格なルールに基づいて品質を管理するワインのシステムに着眼した。例えば『Clos mobile』という作品では、トラックの荷台部分に、格付けにより移動が禁じられている土とそこに生えているブドウの苗とを載せてどこにでも運べるようにした。これはルールに対する「型破り」な視点を投げかけると同時に、自身が興味を持っている「移動」というテーマともつながる表現という。移動とは自分自身が旅をすることも含まれており、ニコラさんは世界のさまざまな場所を訪ねている。２００５年には初めて北海道にやってきて、札幌で3か月の滞在制作をしたこともある。

ニコラさんが岩見沢を知ったのは２０１８年。北海道教育大学岩見沢校によるアートと地域をつなぐ「空知遊覧２０１８」というプロジェクトが開催され、そのなかのフォーラムにゲストとして招かれたためだ。

「このとき市街地は何もない空虚な場所だと思いました。私はこの空虚さを掘り下げてみたい、避けるのではなくなかに入っていきたいと思ったんですね」

市街をめぐってみて、数多くの空き地を見つけたという。「売地」という看板を度々目にしたことを

©Nicolas Boulard　Clos mobile　2009
移動式のブドウ畑。ワインの製造方法や伝統的な制度を見直し、再解釈するような作品を制作している。

きっかけに、自ら土地を購入してプロジェクトを立ち上げたいと考えるようになった。

「もう一度、岩見沢を訪ねて、ここで何が起きているのかを実地に検証してみたいという想いが強くなってきました。私の制作方法は、最初にこういう作品がつくりたいという構想があるのではなく、実際にこの地で起こっていることから新しいアイデアを生み出していくというものです。そこで、札幌で私の制作活動を支援してくださっている知人に土地の購入について相談したところ、山あいの地域であれば広さや値段の点でも無理がないのではないかということで、再び来日して美流渡や毛陽を訪ねました」

Q 067

作品を制作する場所として美流渡を選んだのはなぜですか？

A

炭鉱が閉山し、いまちょうど変革期にあると思ったからです。

2019年にニコラさんは美流渡やその周辺地域を訪れた。第一印象は「捨てられた村」。炭鉱時代に建てられた住宅が倒壊し放置されたままになっているところもあり、荒廃していると感じたという。しかし、上美流渡にある花のアトリエの大和田夫妻（P25）に会ったり、その隣にある若者らが自らの手で改修したゲストハウスを訪ねたり、移住者が中心となって開催された地域のイベントに参加したりするなかで、印象に変化が起こっていった。

「ここにはかつて炭鉱があり、それがなくなったあと、いま街が変わりつつあることがわかりました。とくに出会った人々と、自然な形でコミュニケーションできましたし、移住者のなかには山の土地を買って活動している人もいて、自分の表現に近い部分があると感じました。フランスから遠く離れている列島のなかにある田舎の街でこそ、自分の芸術活動を発展させることができると感じました」

Q 068 作品の構想を教えてください。

A フランスの炭鉱街と美流渡をつないで、ひとつの作品をつくりたいと思っています。

美流渡でニコラさんは数多くの写真を撮影した。それらは風光明媚な場所ではなく、空き地に捨てられていた畳や崩れかかった廃屋などだった。これらの資料をパリに持ち帰り、じっくりとアイデアを検討し、いま2022年を目標に具体化させようと考えているという。

「フランスのベテューヌというところにも、美流渡と同じように炭鉱が閉山している場所があって、社会的にも経済的にも非常に変化しているんですね。共通する部分がある2か所のつながりをひとつの作品にしていきたいと思っています」

そう言って、ニコラさんは稚内の浜辺に建っていたという、魚を干すための櫓を見せつつ、こう語った。

「こういう建築物が、とくに意味をなさないけれど建っているというのもアイデアとしては面白いと思

©Nicolas Boulard
ニコラさんが稚内で撮影したという魚の干しやぐら。美流渡でどのような建築物を建てるのかを考えるうえで参考とした。

います。もちろん建築物を建てるときには制約もあると思いますので、そのなかで自分がどういうものをつくれるか、いろいろ探っているところです。いま興味を持っているのは、環境と人とがどのようにコミュニケーションを取るのかということ。何もないところに建築物をつくって、そこにいろんな人がやってきて何日か過ごしたり、美流渡の人たちがそこに集まったりすることのできるツールとなるようなものができたらと考えています。そして、同じようなタイプの建築物を、ひとつは美流渡にひとつはベテューヌにおいて、パッセージ（通路）のような役割が果たせたらと思っています」

Q 069 制作活動をするときに大切にしている価値観とはなんですか？

A 環境のなかにあるものを生かすことです。

ニコラさんの作品は、ガラスに水を封じ込めたり、ステンレスを使って立体物をつくったりと、さまざまな素材が使われ、表現方法も多種多様。特定の素材で何かをつくることにこだわりはないと言い、その土地にあるものを生かすことを大切にしているという。

「岩見沢や札幌を訪ねたとき、赤レンガを使った建物が印象に残っています。また、石材店にも立ち寄りまして、石を使うというのも興味深いなと思っているので、それらを素材にしたいといまは考えています」

Q
070

移動をテーマに作品をつくってきましたが、コロナ禍では移動が難しくなっていると思います。表現に変化はありましたか?

A

表現方法を見直さなければならなくなったアーティストはたくさんいます。自分もその一人で、いまは本をつくっています。

現在、ニコラさんはマルセイユにある美術館の依頼を受けて、オリーブオイルについての研究を1年かけて行い、展示をするための本をつくっているという。

「2020年は、いろいろな国に行くことができない年でしたので、例えばモロッコやギリシャ、パレスチナ、イタリアなど各国のオリーブオイルを92種類集めて、実際には移動できないけれども、旅をするような経験を感じてもらおうと考えました」

新型コロナウイルスの感染拡大により、美流渡でのプロジェクトについても影響が出ているというニコラさん。今後どのように進められるかわからないが、状況が許せば2021年の再訪を考えているという。美流渡を訪れたとき「これから年月をかけて、ワインが熟成していくように、作品の構想をゆっくりと形づくっていきたい」と語っていたように、どんな状況に置かれても、それを作品の肥やしとしながら、人々の価値観を転換させるような作品を生み出していくことだろう。

美流渡をはじめとする岩見沢の山あいの地区には、

オンラインで取材を行った。通訳を介した取材は初めてという学生たち。

本書で取材したように工芸家、画家、ミュージシャンなどクリエイティブな活動をする人々が、不思議と移住してきている。フランスのアーティストであるニコラさんも「この土地であれば、自分の制作活動を行えると確信した」と語っていたのは興味深い。言語を超えた感覚を研ぎ澄ましているアーティストらが、この土地の何に反応しているのか。そこに明確な答えは見出せないが、偶然の一致とは言い切れない何かがあると感じられた。

2020年11月27日取材

10 五十嵐茂

いがらししげる　57歳

上美流渡在住、木工作家

インタビュアー

菊池真央　21歳

長濱綾　21歳

伊藤五甫世　21歳

土田千夏　21歳

上美流渡にはまだまだ魅力的な人物がいる。自宅をセルフビルドして暮らす木工作家だ。自宅の隣にある工房に学生を招き入れた五十嵐茂さんは、身振り手振りを交えてこれまでの人生を語ってくれた。質問をしていくうちに学生の目に真剣さが増していくのがわかった。帰りがけに学生は「これまでの3年間で最も感動した」と語った。

Q
071

路上生活者のダンスグループのトークイベントで、司会を経験したそうですね。私だったらとても勇気のいることだと感じるんですけれど、不安や怖さはありませんでしたか？

A

独特の静けさを持った人たち。だから怖いとは思いませんでしたね。

五十嵐茂さんは新潟生まれ。故郷の高校を中退してから現在まで旅人のように暮らしてきた。美流渡にアトリエを構えたのは18年ほど前。インタビューではそんなプロフィールを聞くところから始めるのが常だが、いささかマニアックな第一問となった。質問を考えた学生たちは、私が「コロカル」というウェブの連載で書いた五十嵐さんの記事を読み込んでいた。セオリーとは外れていると思ったが、五十嵐さんの根幹部分を探り当てるものとして、この質問は核心をついていたのかもしれない。

路上生活者のダンスグループの名は「新人Hソケリッサ！」。２００５年より参加者を募り公演をスタートさせ、2020年にはドキュメンタリー映画も公開された。五十嵐さんは北海道と東京の二拠点で活動しており、ソケリッサと出会ったのは青梅。この地で共同アトリエを借りていて、そこは「国立奥多摩美術館」というオルタナティブスペースとしても運営されており、あるときソケリッサのイベントが行われ、五十嵐さんは司会を務めた。

「アオキ裕キ（ダンサー・振付家）さんが、15年前から素質のあるホームレスを一人ずつ口説き落として、暗黒舞踏のグループをつくっていて。いまでは世界ツアーなんかもやっています。国立奥多摩美術館で行われた公演が、土日2日間にわたっていたんですよ。新宿のバスターミナルで暮らしている方もいたので、青梅で俺が借りている一軒家に、よかったら泊まりにおいでよって。一晩語り明かして楽しかったですね。

ホームレスになって一番最初の関門は、初めての晩なんだって。行くあてがなくなったときに二者択一を迫られる。ひとつは鉄道なんかに飛び込むか、もうひとつは段ボールを拾いに行ってそこで寝るか。この方たちは一回死んでいるんだなぁ、このヒンヤリ感ってここから来てんのかって思ったね。静かで優しい方ばかりで、目とか背中の気配とかはみんな同じだなと。悲しいんですよ。

なんで俺がトークの司会になったのかというと、イベントを企画していた仲間に

『五十嵐が一番友達だから』って（笑）。でさ、そのトークで、あなたたちとどうやったら親しくなれますかって聞いたら、『あんたはもう仲間やがな』って言われたね。確かにシンパシーはすごい感じましたね。ただ、自分はいろんなことに執着があるなっていうのは恥ずかしかったですね」

Q 072 美流渡に住み始めたときの印象は？

A あの～、一言でいうと流刑地でしたね。

五十嵐さんのアトリエは上美流渡という地区にある。工房を開く決め手は、母屋も工房も建てられる十分なスペースが、当時年間２５００円で借りられたこと。そして、この地の印象を、ちばてつやのボクサー漫画『あしたのジョー』と重ね合わせた。漫画の舞台は東京・台東区にある山谷のドヤ街。孤児院から出てきた矢吹丈が、アル中の元ボクサー丹下段平に泪橋で出会うところから物語は始まる。

「漫画だから音は聞こえないけれど、ＢＧＭがあるとしたら、ごぉぉーって、廃れて風の音しか聞こえない。そこに土台の傾いた死骸のような家がある。美流渡はまさに泪橋の風景みたいだったね」

美流渡と同様、上美流渡にも炭鉱があり活況を呈した時代があった。その後、急速に過疎化が進み、廃屋となった炭鉱住宅がその面影を伝えていた。五十嵐さんが地元の人に聞いた話によれば、石炭を掘り出した穴が地中のそこかしこに開いていて、そのなかには落盤事故で生き埋めになった人もいるのだという。

「こんな僻地にわざわざ志願して来るって言ったら、俺にはポジティブな心って、あんまりないような感じがするんですよ。何かやらかした方が流れ着く場所っていうかね。家一軒ただで貰えたりするんでお金かかんないし。もし、お金を持ってる人だったら、別な選択肢があると思うしね。まぁ、廃れててかっこいいなぁって思ったんですよ。そういうの大好きなんで。ここはいいなぁ、住み心地いいなぁと思いましたね」

Q 073

28歳までバンド活動をされていたそうですが、止めた理由は?

A 黒人になれない自分が「おもちゃ」のように見えて、そのとき音楽を止めましたね。

五十嵐さんが美流渡にたどり着くまでには、さまざまな経緯があった。高校中退後、エレキギター一本持って東京・福生のライブハウスに住み込みで働きながら、横田基地に駐屯していた黒人兵士とバンドを組んだ。19歳のときにアメリカ西海岸で本場の音楽に触れる半年間の旅もした。旅のなかで、人種の隔たりを感じることもあったが、そのとき親切にしてくれたのは黒人だったという。

「家族ぐるみで付き合ってくれて、優しかった。涙が浮かんだね。それからますます大好きになってね。頭の上まで黒人の音楽に浸かって。福生でバンドやっていたときは、こっちとしては完全にコピーしていると思っても『チガーウ、チガーウ』って言われるんですよ。やっぱり親が奴隷船に乗って缶詰みたいにして送られてきたとか、そういう話をおじいちゃんやおばあちゃんから聞いて育ってきた彼らにはかなわない。ルーツが違いすぎる、この溝は絶対に埋まらない。もうカラスが鳴くから帰ろうって。時間を無駄にしちゃったなっていうか、挫折ですね」

Q 074 なぜインドへ向かったんですか？

A 救いを求めてたんでしょうね。ホームレスの生態をずっと眺めてましたね。

福生でバンド活動をした「おもちゃの時代」が終わり、アルバイトで貯めたお金でインドへと旅立った。五十嵐さんは28歳になっていた。

「横尾忠則の『インドへ』とか、インド本の名著を読み漁って、自分もそこに行けば変われるんじゃないかと思って、錯覚ですね。で、見たものは、狡猾さとかたくましさ。もう、救いようのない貧しさっていうか。町中ホームレスだらけ、それも家族ぐるみですからね。布団とか鍋、釜とかを瓦礫の上に置いて、犬も飼ってたりして。多分、あなたたちよりずっと若い女の子が、足の萎えた乳飲み子を小脇に抱えて、汚れたサリーを来て、チャイ屋をウロウロしながら、この子に薬をくれとかブランケットを買ってくれとかね。で、何キロも後をついてくるんですよ。すごいよね。なんて言うか、体力的っていうか時間のスピード感覚が違うよね。

イスラムの音楽と香辛料の匂いと、日本のさっぱりと整理整頓された世界と真逆なんで、俺は一回でハマりました。ホームレスとお茶飲んだりして友達になって、観光地巡りとか一切せずに、みなさんの生態をずっと眺めてましたね」

Q 075

その後、家具づくりを学ぼうと思ったのはどうしてですか?

A

人に使われることも使うことも嫌だと。じゃあ、一人でなんかできる仕事を見出すしか方法はないなって。まずは手に職をつけようと。

「あのー、団体行動ができないんですよ。そうすると選択肢はグッと狭まるじゃないですか。それに子どものころから、図工しか自分ができる表現はありませんでしたね。だから自然と言えば自然というか。木って言うのは身近な素材でしたよね」

10年のインド放浪の旅を終え、38歳で帯広の職業訓練校で家具づくりを学んだ。その後、テレビ番組で上美流渡が取り上げられていたことによって、この地を知り移住した。冒頭で五十嵐さんは「まるで流刑地」と語ったが、その言葉が導き出される背景には、さまざまな思いがあった。

「ここは以前、ミルトアートパークと呼ばれた一帯で、アーティストがいっぱい住んでいたんです。ただ、だんだんと廃業したり、去って行ったりして。その当時は、負けが込んでる人が集う、さすらってくる場所だったねえ……。生臭い連中がいっぱい、意見ぶつかり合ってドロドロともがいていて、そこが魅力でしたね。

自分としては自虐もあったね。廃れてて、穴ぼこだらけの価値のない土地っていうのも気に入ったし、なんかもっと落ちるところまで落ちてみたいなっていう。口をひん曲げて自分に向かい合うみたいなスタンス。ですから、運は来ませんでしたよね。ほとんど仕事ができないような状態で、5年ぐらい介護とか別の仕事もやっていました」

Q 076

いろいろな場所に拠点を移すなかで、どんな悩みを抱えていたのですか？

A

どうやって暮らすかってことをいつも悩んでたけど、自分を探してるっていう旅を続けてたんでしょうね。うーん、そうだね……。

五十嵐さんは学生たちが投げかけた質問に、当時の映像が頭で再生されているかのようなリアリティを持って語ってくれた。「悩み」という言葉が出たときに、しばらく「うーん、そうだよねぇ」と繰り返したあと、場の空気に変化が感じられた。

「あの……、家庭環境がちょっと特殊だったもんで、不登校みたいな小学生だったんですよ。いわゆる発達障害的なね。母親がノイローゼで、自殺未遂を繰り返す女性で、学校に行っている間に死んでるんじゃないかと思って勉強できませんでしたね。リストカットを繰り返したりして、そうなると家事も一切できなくなって寝ているだけとかそんな感じでしたね。

自殺未遂を繰り返す半面、偏見とか一切ないきれいすぎた方でした。思い出すのは、リヤカーで不用品や新聞を集めて歩く、いまで言うリサイクル業の方がいて。うちに来る方は、知的障害のある男の子と一緒。母親は、着ている服とかもバーっと出して、財布も持ってってみたいなね。

よく叫んでましたね……。あの、包丁を首に当てて泥酔状態で、あーっ、あーって叫んでました。その叫びはまさに、フリージャズでしたね。生きる苦しみ。子どものときにあれ聞いちゃったんで、どうもチューニングがおかしい人生なのかも知れない。だからコンプレックスがすごい強かったですね。健康な普通の家庭が眩しい。うん、なんか違うぞ、自分はこの宇宙のなかでぽつんと変なところにいる存在だぞっていうのが根深くあるんですよ。

黒人たちの世界とか、ホームレスのみなさんの世界とかに同志というか居心地の良さを感じるんだよね。ネガティブで劣等感を感じてる人とか、すっと入ってくるよね。巣くっちゃう、蟻地獄みたいに……。だからさ、やっぱり流刑地に住んでるのには訳があるんだよ。

さっき学生さんから、ホームレスのみなさんとトークをするときに不安や怖さを感じたかって質問があったけれど、まったくありませんでしたね。全部認めて許容できる。偏見みたいなのがない人間になりつつあるね。マイノリティにハマってる人生をずっと貫いてる。その自分を許してますよね。うん。許容してるっていうか、それができるようになってからすごい楽なんですよ」

Q 077 自分を許せるようになったのは、いつごろですか？

A 自分をさらけ出せる場所ができたってことかな。

上美流渡に移住したからと言って平穏な日々が始まったわけではない。移住して数年が経ったころ、移住を後押ししてくれた地域のまとめ役であった陶芸家の塚本竜玄さんと、妻の千代子さんが相次いで亡くなった。さらに同時期に、この地域に音楽スタジオをつくって活動をしていた親友のミュージシャン、稲村一志さんの死も重なった。「この土地から出て行ったほうがいいような気がした」という五十嵐さんは、最高に困難な時期だったと振り返る。

この出来事は転機となった。木工作品の販売をするために東京に「出稼ぎ」するようになり、ちょうどそのタイミングで青梅にある空き家を借り、国立奥多摩美術館を営む若者たちと出会った。

「奥多摩美術館っていうのは、武蔵野美術大学のＯＢたちが新しい国をつくろうって発想で、廃業した製材所を借りてアトリエとして使ったりイベントしたりしているスペース。つくってるのは廃棄物みたいなものだし、整理整頓なんかできないし、まさにカオス。アジアのアーティストとの交流も多くて、学園祭がエンドレスで続いているみたいなところ。マイケル・ジャクソンの曲を爆音でかけながら、近くに流れている小川で水浴びしたりとかね。そこにいる5人の若者と9年か10年前に知り合って、兄弟になれたって感じですね。自分をさらけ出せる、ファミリーがいるって感じありますね。いつもそこに行くと『うん、戻ったな』って。

前だったら『借り』とかつくれなかったんですよ。マイノリティには返す力もないし。美流渡は刺激もないし、籠もってつくるのは辛いときもあるけど、青梅に戻れると思うとフッと明るくなれますよね。うちに戻れるっていう。それにさ、こっちには家内がいるしね。どっちにも人間関係があって、家族がいる。だから二拠点。北海道か東京か、どっちかに決めろってよく言われるんですけど、どっちも好きなんで決めなくっていいなと思って。このまま死ぬまで行くなって感じはしています」

Q 078

アトリエの名前「遊木童」の由来を教えてください。

A
童の心、神に通ずるってね。

五十嵐さんのつくる器や家具は、道内各地や青梅などで採れた十数種類の木を組み合わせ、豊かな自然の色合いを感じさせる。最近では、車がついた小さなおもちゃづくりのワークショップを子どもと行う取り組みもしている。「遊木童」は、自分がいつかやりたいと願う表現に通じる名前。

「どこの誰から聞いたのか覚えていないんですが、童の心、神に通ずるってね。木に向かって童に語りかけるように何かをつくれたらと。木工機械で切り刻むんじゃなくて、木《もく》喰《じき》聖人（江戸時代の僧侶）が木をカツカツと彫った供物みたいなものを、食べ物と物々交換するようなね」

こうした考えを持つようになったきっかけは、陶芸家の塚本さんとの出会いから。

子どもたちとのワークショップでつくった木のおもちゃ。数種類の木を組み合わせている。

「先生は、よく俺に『五十嵐、工芸っていうのはお金を儲けちゃいけない、陰徳（人に知られることなく、良い行いを重ねること）を積む行為なんだ』と。確かに木喰聖人は乞食だったよね。つくったものを奉納して、食べ物とか着る物を恵んでもらい、旅のなかで説法をしていって……。でもさ『陰徳を積んで、なんかいいことありますか？』って先生に聞いたらさ、『ある。すごくいいことがあるよ。ただし来世だぞ』って言うんだよ！

当時は反発してたけど、最近わかるようになってきましたね。塚本先生の『心を磨かなければいいものはできないよ』って言う言葉も好きですね。心を磨く。きっと工芸の真髄はそこなのかなって」

Q
079
これから、つくってみたい作品は？

A
仏様じゃなくてさ、未知生物、魑魅魍魎《ちみもうりょう》、妖怪、コロポックル、エイリアン。

「簡単に言うと、もっと彫刻をやりたいですね。いまね、さまざまな人種の人たちが滞在している特殊な現場の掃除をしているんですが、いやー、そこは世界各国の絵具箱ぶちまけたみたいなカラフルさですね。みんなすごいテンション高くて、タフで全然めげてない。2か月に1回東京に行ってそこの掃除をしてるんですが、南国のフルーツの匂いがしたり、アフリカの土の匂いがしたり。なんていうか、それは俺にとって栄養だなと思って。そういうのを一回、身体に取り込んで、それを出すぞって思っていますね」

Q 080 昔と比べて、いま価値観とか変化していますか？

A すごい変わりましたね。空っぽにすれば次の道がドカーンときますよ。

「いまにして思えば、いろんなものにしがみついていて、独り占めにしていたんだと思います。これは大声で言っちゃいけないことだけど、それを本当に必要な人にあげちゃうんですよ。わらしべ長者の法則みたいなのあるでしょ。例えば俺のつくったテーブル

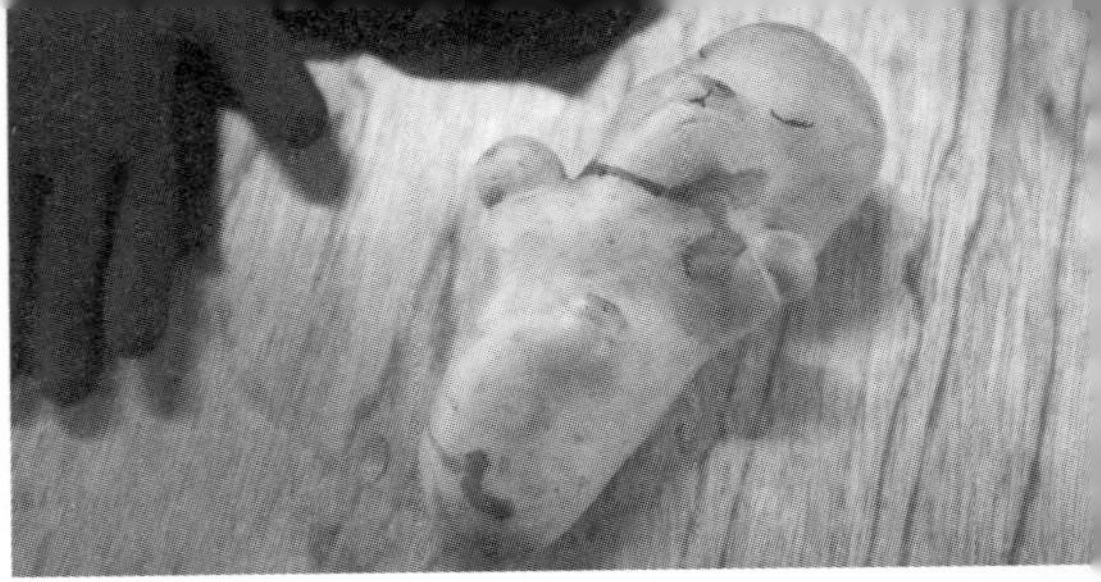

アトリエに置かれたジャガイモ。目が描かれていた。

や椅子が大好きって言ってくれた若い仲間が入籍したって聞いたんで、『使えよ』って早速運びましたね。40万円くらいで売ってるやつをね。そしたら次の日に、別の人から『機織りあるんだけど使わない』って。家内が機織りをやってて、もう一台欲しいと前から言っていたんですけど、糸も何もかも揃っていてさ。そんなことがいっぱいあるんですよ。

人間関係もそう。優柔不断に付き合ってる部分ってあるじゃないですか。その方が得かなって思って。それを最近、整理しました。捨てたことによって空きスペースができて、そこにカクーンと本当に必要なものが入ってくる。それが人であれば、旧知の仲みたいにすっぽりと関係性がおさまるんですよ。差し伸べられた、その手はぶっとい。なんでもっと早く捨てなかったんだろうと思いますね。

心を磨くって一番難しいでしょ。生きる指針っていうか。その方法のひとつは捨てるってことだと思う。無にするっていうか、欲を捨てるっていうか。工芸とか現代アートみたいなことって、なくても世の中困んないことなんで。隅っこの方でね、どぶ板の上かなんか歩かさしてもらえれば、それでよしとするみたいなところがある。そして、ただいいものをつくりたいっていうね。その一番近道はやっぱり心を磨く、陰徳を積むことだなって最近すごい感じますね。グッドラックは絶対そっから来るなって。

いろんなことに挑戦して、全部挫折してきたけど、木工は続けてよかった。相手がわかってくれますよね、本気なんだなっていうことを。太い手で、あまりにもたくさんの人に支えてもらってるなっていう。

美流渡も変わったなーって実感しています。MAYA MAXXさん（P107）とか、ポジティブなものを持っていらっしゃる方が住むってことに驚きを感じてますね。ロケットに乗ってどこか違う国にぶっ飛んでいくんじゃないかってスケール感のでかい人が集まってきている。地下生活者が集まっていた反動なのかな、磁場が変わって、ここに集まってきているのかなという感はありますね」

五十嵐さんのアトリエの机の上には、胎児のような不思議な膨らみを持ったジャガイモが転がっていた。マジックで目をつぶった状態のまぶたが描かれていた。「もしかして、これが未知生物、魑魅魍魎の作品につながるものなのでは？」。帰り際に尋ねると、ニヤリと笑顔で返してくれた。

2020年10月30日取材

われらのほんね

宇田川耕一
北海道教育大学
特別補佐・教授

いちごいちえ

文化庁の助成によるアートマネジメント人材育成事業「万字線プロジェクト」は、平成31年度からスタートした。

そこでの編集者の來嶋路子さんとの出会いから生まれたのが、『いなかのほんね』の出版企画である。

はたして学生たちは、美流渡の人々との出会いで何を感じ、何を学んだのか。本当のところはじつは私にもわからない。それでも、事前に自分達で取材対象の事を調べて質問を考え、直接初対面の相手に問いかけるということは、決して簡単ではなかったはずである。

この本に登場する美流渡や毛陽、万字の地で暮らす人々は、それぞれが信念をもって、独自の道を歩み続けている。だから個性的であり、魅力的なのだ。おそらく、すぐに結論にたどり着くような安易な方法など、求めていないのであろう。

正解のない問いを問い続けることがいかに大切か。この一期一会のインタビューは、そんな私の思いを学生たちに伝えるための、かけがえのない機会を与えてくれたのだ。

だいがくのこと

北海道空知の中核都市である岩見沢市には、意外にも大学は一つしかない。それが、私の勤務する北海道教育大学岩見沢校である。

教育大学といえば、小学校、中学校、高等学校の教師を育成する学校と思うのが普通だ。ところが、全道で5つのキャンパスを有する北海道教育大のうち、札幌校、旭川校、釧路校はイメージ通りの教員養成課程だが、函館校とわが岩見沢校は少し、というか、かなり毛色が違う。

函館校は国際地域学科として「国際的な視野と教育マインドをもち、豊かなコミュニケーション能力を発揮しながら、地域を活性化できる人材を養成」すると、ホームページに書いてある。日本最初の貿易港

の一つで観光地として発展した函館という土地柄からしても、ある程度は分かる。

では、岩見沢校の芸術・スポーツ文化学科はというと、「芸術やスポーツの文化価値を、地域のさまざまな課題解決へ活用し、また、それを新たな文化ビジネスへつなげる発想を持つ、地域再生の核となる人材養成を行うことを目的」となっている。芸術・スポーツ文化学科の名前の通り、5キャンパスに分散していた音楽、美術、スポーツの専門教員を集めオールスターともいえる布陣を取り、施設も充実させた。

わたしのあゆみ

芸術やスポーツには、人の心を揺さぶるような大きな力がある。約8年前に岩見沢校に赴任するまでは、私は毎日新聞社で広告事業本部というセクションに長く所属していた。新聞社主催の様々な文化・スポーツ事業に係わるなかで、そのことを痛感する機会が多かった。

一方で、芸術やスポーツのイベントに携わる、企業や団体の担当者の多くが、その部署に所属になってから初めて、仕事を通して独学でノウハウを身につけていることを知った。思えばその頃から、大学にもそれに対応する学部や学科があれば良いのにと漠然と感じてはいた。

元々経営学に興味があり、ピーター・F・ドラッカーの『マネジメント』等を読んでいた私は、不惑の40歳を機に、働きながら社会人大学院の老舗、多摩大学大学院のMBA（経営学修士）コースに通った。入学前は、勤務している新聞社の経営について研究しようと考えていた。ところが、趣味で調べていたオーケストラ指揮者の事を話したら、それはとても面白いから研究テーマにしなさいと、教員に勧められた。

こうして、オーケストラ指揮者と企業経営者とを比較考察するという、極めて珍しい研究分野を開拓することになった私は、会社でも部長職となりマネジメントをしながらも、研究の面白さに取りつかれ、ついには博士課程に進み学位を取得した。

そんな変わった経歴が目に止まったのか声がかかり、アートマネジメントを担当する教員として、岩見沢校の芸術・スポーツビジネス専攻教員にキャリアチェンジすることになったのである。気がついたら「五十にして天命を知る」を超え、51歳になっていた。

わたしのおもい

では、28年間の企業人生活と、59歳になった今年で20年になる研究者生活とを両方経験した私が目指すべき大学教育とは何か。それは、学生に正解のない問いを問い続ける4年間を提供することである。

なぜなら、実社会では解答は一つとは限らず、無数の選択肢の中から、その時の「自分なりの」最適解を探す、絶え間ない営みが要求されるからである。そのためには、教員から一方的に習う「学習・座学」から、自ら課題をみつけて考え抜いた上で取り組む「研究・実践」への進化を促すことが重要である。

よく、私は運転免許に例えて、「学科試験で満点を取っても車は一ミリも動かせない。仮免許を取って路上実習をして初めて、使える運転技術が身につく」と説明する。

さまざまなプロジェクトを座学ではなく、実際に現場で「企画から終結（フィナーレ）まで」経験するということ。それが、卒業後にハンドルを握りしめて、人生の長い道のりを、思いっきり自由に走り回るためのステップアップにつながると信じている。

がくせいのことば

今回のインタビュー体験を通して、学生は何を感じたのか。彼らのレポートからいくつかの言葉を拾って、私の感想と共に紹介する。

岡田さんがおっしゃっていた、常に笑顔でいるというお話は、とても自分の中で響いた。前まで私は部活であまり仕事がうまくいかず、暗い顔で部活をやっていたが、その話を聞きなるべく柔らかい表情にすることを心がけると、部員が声をかけてくれたり、気軽に頼ってくれたりするようになり「最近変わったね」と実際に言われた。岡田さんのこのお話にとても感謝している。（M．K．）

これこそまさに実践の例である。話を聞きっぱなしにせず、すぐに実行に移したことがわかる。先達の言葉を素直に受け止めたことが、気づきにつながったのだろうか。

五十嵐さんへの取材を通して、いかに自分が多くの偏見を持って人と接していたのかを突き付けられたような気がした。序盤のホームレスの話が特にそうであったが、五十嵐さんは肩書や見た目で人を判断せず、その人の芯の部分をきちんと見ている人なのだろう。（I．I．）

そう、「突き付けられたような」という表現が、この出会いの強烈さを表している。同席していた私は、学生たちの表情がみるみるうちに真剣になっていくのを見て、それに感動した。帰りの大学バスの車中で「これまでの3年間で最も感動した」という学生の声が聞こえてきた。

「自信を持つことの出来る人生」というと、私はどうしても「良い大学を出て、良い会社に就職して」などと考えてしまう。だが、取材を通してＭＡＹＡ　ＭＡＸＸさんのお考えに触れていく中で、「自信を持つことの出来る人生」というのは、誰に何を言われても、自分が良いと思うものを信じ続ける人生なのではないかという考えが芽生えた。（Ａ．Ｋ．）

誰もがＭＡＹＡ　ＭＡＸＸさんのように自信をもって生きられるわけではないかもしれない。ただ、「自分が良いと思うものを信じ続ける」ことなら出来そうだ。インタビューの間中ずっとこの学生の目は輝いていた。それが私にはとても眩しく映った。

長く美流渡に住んでいる堤さんに対し、決して田舎特有の閉鎖的という印象を抱かなかった。話を聴き進めていくと、堤さんは学生時代に地元から離れていたと仰っていて、それで納得した。「昔はこうだった」という考えを無駄であるとし、今とこれからの美流渡の居住者

ソーシャルディスタンスをとりＭＡＹＡ　ＭＡＸＸさんの話を聞く学生たち。

の住みやすさを守るために、日々努力されていると感じた。（K．S．）

「田舎特有の閉鎖的という印象を抱かなかった」という自分の直観に対して、それはなぜだろうかという疑問を持ちながら話を聴いていたことが伝わる。ただ漠然と聞き流していては、こういう発見は無い。

中川さんの、やりたいことはやるといったチャレンジ精神にとても心を動かされた。自分はまだやりたいことが明確にはなくて、きっとありふれた人生を送るだろうなと思っていたが、これを機に二十代のうちに何か新しいことや、コロナだからこそできることなどを見つけてみようと考えた。（U．S．）

以前にある学生が「私達は生まれてから今までずっと景気が悪くて災害も多くて、もちろんバブル景気なんて知らない。ついてないなと思う」と語っていたのが印象に残っている。確かにそうなのかもしれない。

だが、それでも運命は自分で切り拓いていくものだと思う。そのことがもし伝わったのだとしたら、すばらしいことである。

不便ってなんだ？

來嶋路子
編集者

街に新しい拠点が生まれて

インタビューを終えてみて、これから自分が生きていくうえで、大切に心にとめておきたいと思う言葉の数々が見つかった。そして10組の言葉が一冊にまとまることで、この地域独特のムードのようなものが読者のみなさんに伝わってほしいと願っている。

そしていま、少しの心残りがある。登場いただいた10組以外にも、ぜひひとも紹介したいと思う仲間がいるからだ。ここ5年くらいになるだろうか。岩見沢の山あいには移住者が増えており、それぞれが地域の拠点となるような活動を続けていることに私は注目をしている。例えば、エリアとして紹介できなかった美流渡のお隣、朝日地区に住む上井雄太さんは、２０１６年に移住。上美流渡地区にあった炭鉱時代の古家を、地域の住宅を利活用する試みを行っていた吉崎祐季さんと

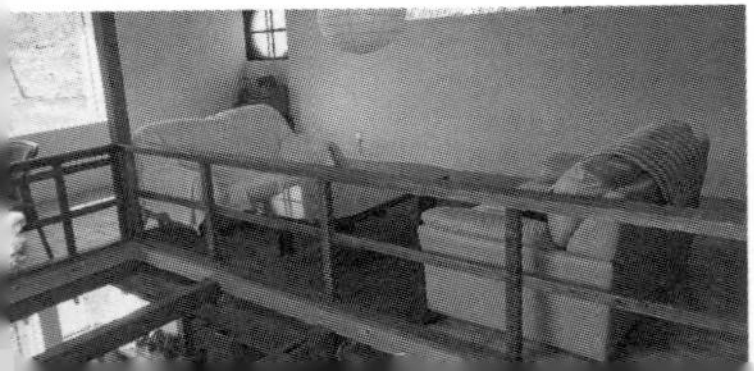

改修し、ゲストハウス「マルマド舎」を運営している。

また美流渡地区にはこれまで食堂が一軒しかなかったが、2018年に20年ぶりに飲食店がオープンした。9年前に市街から移住した山岸槙さんが開いたスープカレーのお店「ばぐぅす屋」は、やみつきになるスープの味が評判となっている。また、同じ年に、新田陽子さん、洵司さんが美流渡の古家を改修して、たった5席の「コーローカフェ」も誕生。現在は、イベントの出店を中心に活動をしている。

朝日、美流渡、その先にある毛陽地区では、多彩なアクティビティも生まれている。2018年に札幌から美流渡に移住したスティーブン・ホジャティさん、文さんが中心となって「メープルアクティビティセンター」をつくった。この地区にある「ログホテル メープルロッジ」に宿泊した観光客らに、四輪バギーやスノーシューなどを体験してもらうプログラムを提供。しかもこのセンターには、先に紹介した上井さんや新田洵司さん、そして本編に登場した辻本さん（P63）もメンバーとして加わっており、移住者の仕事の場にもなっている。

さらには、2020年に地域おこし推進員（協力隊）として着任した

（右）上美流渡のゲストハウス「マルマド舎」。元料亭だったのか丸い窓があることから、この名がついた。
（左）さまざまなスパイスが味わい深い「ばぐぅす屋」のプレート。

瀬尾洋裕さんが、起伏の激しいトラックを専用の自転車で走るスポーツ、BMXのコースをつくった。BMXの愛好家や地域の子どもたちが集まる姿が見られ、新しい風景のひとつとなった。

その先の万字地区でも動きがあった。本編で紹介した岡林利樹さん、藍さん（P139）だけでなく、笠原将広さん、麻実さんも2018年にこの地に移住。笠原さんたちはいま地域のお年寄りが気軽に立ち寄れるようなご飯屋さんをつくりたいと、古家の改修に取り組んでいる。また同じ地区には先輩移住者の金井峰人さん、美和さんが炭鉱住宅を改修したゲストハウス「NORD HOUSE」を営んでおり、山並みが美しい景色を求めて海外からも観光客がやってくるという。

点が線になっていく

朝日、美流渡、毛陽、万字。点のようにポツリポツリと移住者は増え続けている。それぞれの縁とタイミングでこの地にやってきているのだが、それらが時折、線でつながることがある。例えば2020年はコロナ禍となり、例年行われるお祭りはほとんど開催できなくなっ

てしまったなかで、地域の子どもたちが集まって、密にならない野外で小さなお祭りができないだろうかと考えたのがカレー店を開く山岸さん。移住者仲間に声をかけ、さまざまな出し物を企画した。画家のMAYA MAXXさん（P107）と絵を描くワークショップや岡林さんらによるアフリカ太鼓の演奏があった。お昼は山岸さんがカレーを子どもたちに振る舞い、コーローカフェの新田さんも特製のココアとジンジャーエールを用意。このお祭りの後、希望する子どもたちが瀬尾さんのつくったBMXコースに集まり、自転車体験も行われた。

私はこの一部始終を見ていて、じわじわと喜びが込み上げてきた。アート、音楽、スポーツというジャンルもさまざまで、しかもその道に真正面から取り組む大人たちが、子どもたちに向かって〝ガチ〟で何かを披露する。都会からプロフェッショナルを呼んでくれれば、こうしたイベントは実施できるが、コロナ禍という人の移動が制限される状況にあって、地域内でこのような独自性のある催しができるというのは、素晴らしいことだと思った。

このほかにも、上美流渡にある栗沢工芸館では本編で紹介した花の

（右）移住者たちが企画した小さな子ども祭り。青空の下、アフリカ太鼓の演奏を聴く。
（左）毛陽に新しく誕生したBMXのコース。子どもたちにも大人気。

アトリエを主宰する大和田さん（P25）のリースづくりや五十嵐さん（P165）の木工芸づくりをはじめ、陶芸や手彫りガラス工芸といったさまざまな体験ができるなど、地域各所で週末になると立て続けにイベントが開催されることもある。

見えない何かに惹きつけられて

なぜ、このように多彩な活動を行う移住者が集まっているのだろう？　この地域は豪雪でコンビニエンスストアや大きなスーパーも近くにはなく、住む家を探そうと思っても不動産屋が扱うような賃貸物件もほとんどない。いわゆる住みやすさや便利さを求めていると、まったく候補に上がらない場所と言える。つまり、豪雪や不便さを乗り越えられる（あるいはいとわない）マインドを持った人たちが自然と集まっているのではないかと思う。また、近隣に勤め先が少ないこともあって、店舗などを開いたり、ものづくりをしたりと、自分で何かを生み出すことのできる人が多いのも特徴だ。さらには、移住者のほとんどが自分で家を建てたり直したりしており、自らの手で暮らしを

栗沢工芸館。陶芸家のきくち好恵さんやこむろしずかさんをはじめ、地域に移住した作家の作品が並ぶ。

つくっていこうとする意識が高い。つまり何かを企画する力と、どんな状況でも生き抜くサバイバル力とを併せ持つ人たちが多いと言える。

こうした移住者を受け入れる、地元の人々の懐の深さもある。美流渡の町内会長の堤さん（P93）のように、移住者にも分け隔てなく接してくれる人がいることが、活発に活動できる理由にもなっている。

そして、もうひとつ興味深いのは、すぐに借りられたり購入できたりする家はネット検索などではほとんど出てこないのだが、ふいに空き家が見つかることがある。万字に移住した笠原さんは、旅行でこの地を訪ねたときに、こんな場所で暮らしてみたいという思いがわいて、人づてに空き家を見せてもらい、急に移住が具体化。旅行から3か月ほどで東京の家を引き払った。「土地に呼ばれたとしか思えない」と語っていたのが印象的だった。

この5年ほど移住者に取材をし、なぜやってきたのか経緯を聞いていると、同じようなことを語る人が多い。山岸さんは初めてこの地を訪ねたときに「ちょうど美流渡に入ったら空気が変わった」と言い、コーローカフェを営む新田陽子さんも、「空気がフッと軽くなって、

東京から万字に移住した笠原一家。鶏やヤギを飼うなど、田舎暮らしの可能性を探る。

ここに住むのかも」と感じたそうで、二人もスムーズに空き家と巡り会えている。

そして笠原さんのように「土地に呼ばれたとしか思えない」と語った人も一人や二人ではない。目には見えないけれど何か特別なものを感じている人たちがいる。もしかしたらアートや音楽、スポーツなど、インスピレーションを大切にする人たちが多く集まっていることも、何か関係しているんじゃないか、そんな気さえしてしまう。

投げられた球を返すように

私自身も移住した理由を言葉ではっきりと表すことはできないが、ここに来られて本当によかったと思っている。地域には小中学校が閉校になるなど人口減少による課題は多く、手が行き届いていないと感じる部分がたくさんある。そんな状況を見ていると、つい体が動いてしまい、地域ピーアール活動としてマップをつくったり、旧校舎活用のためのセミナーを開いたりもしてきた。田舎暮らしといえばゆったりと時間を過ごすイメージがあるが、その真逆でやることが山積みだ。

体力的にはしんどいこともあるが、心はクリアーになっている。都会に住んでいたころは、本当にやりたいことが何かが見出せずに悶々とすることもあったが、いまは違う。ここにいるとやるべきことがどこからともなく飛んでくる。投げられた球をキャッチして、また投げ返すように、この地域に必要なことをひとつひとつやっていけばそれでよしと思えるようになって、気持ちがとても楽になった。本書の制作も、投げられた球だと思って受け止め力を込めて投げ返した。

移住者仲間と話をしていると、私と同じように毎日やらなければならないことがたくさんあると笑顔で答えてくれるときがある。やはり、どこからか球が飛んできているのかもしれないなと思ったりする。地域に役立つ何かを移住者が行い、ここにずっと住んでいる人との交流がさらに深まるとき、点だった取り組みが、太い線としてつながって、この地域の新たな「面」として立ち現れてくるのではないか。やがてそんな日が訪れる予感がある。

私が移住者仲間と一緒に制作した似顔絵マップ。新たな顔ぶれを加えながら毎年更新している。

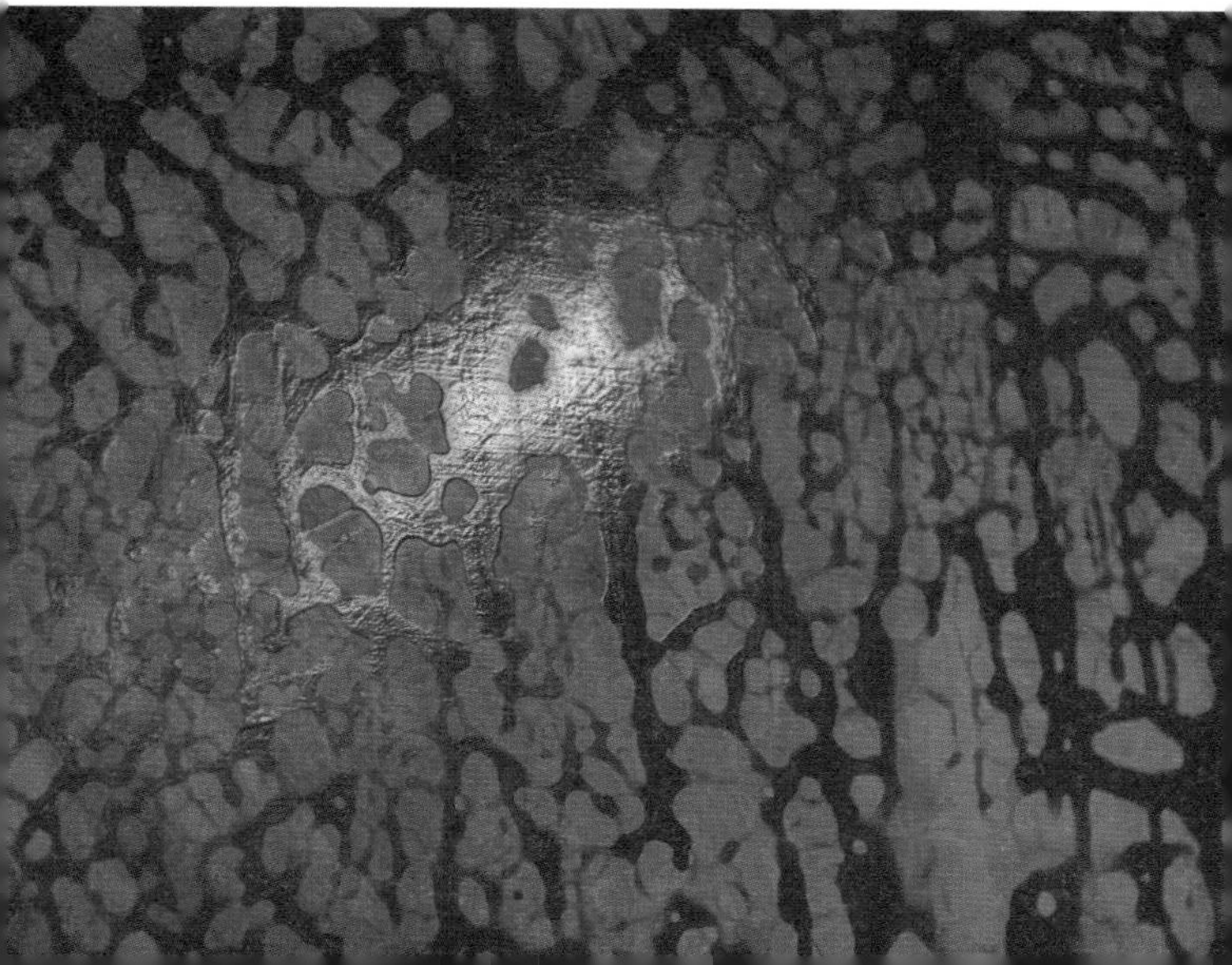

２０２０年の夏、新しい移住者がやってきた。コロナ禍となり、東京と北海道を気軽に行き来できない状況のなかで、画家・ＭＡＹＡ ＭＡＸＸさんはベースを美流渡に移した。

改修した古家は４世帯が入っていた１棟の長屋。そのうち２世帯分をアトリエとし、１世帯分をギャラリーとした。スペースの広さを生かして、大作の制作に挑んでいる。

大正4年に美流渡に創建され、その後、炭鉱とともに歩んだお寺「安国寺」。四世となる岡田博孝住職は、この地域の移り変わりを静かに見つめてきた。

世界中を旅しながら、ストリートでアフリカ太鼓の演奏を行ってきた岡林利樹さん、藍さん。万字地区に3年前に移住し、長男が生まれ、自給自足に近い生活を行っている。

©Nicolas Boulard

フランス人アーティスト、ニコラ・ブラーさんは、美流渡で作品を制作しようと計画中だ。人が集う場所をつくりたいと、構想を練る。左ページ4点はニコラさんが美流渡で撮影した写真。

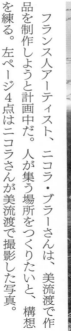

木工作家の五十嵐茂さんが上美流渡に工房を建てたのは18年ほど前。当時の地域の様子を「まるで流刑地のようだった」と語った。

岩見沢市の山あいは有数の豪雪地帯。2020年、初雪の積雪が50センチ以上となり、多くの木々が折れたり曲がったりした。

26名の学生たちが数名のグループにわかれて取材を行った。大学生活の一番の思い出となったと語る学生もいるなど、地域の人々から印象的な言葉を聞くことができた。

企画：宇田川耕一
監修：北海道教育大学岩見沢校　芸術・スポーツビジネス専攻
　　　万字線プロジェクト2020実行委員会
編集：來嶋路子
ブックデザイン：中村圭介、藤田佳奈、平田賞（ナカムラグラフ）
カバー、奥付イラスト：MAYA MAXX
撮影：佐々木育弥・來嶋路子（p7上、35、40、56、76、103、
　　　116、121、182、193－197）
写真提供：ニコラ・ブラー（p156、159、209）、
　　　　　マルマド舎（p192）

いなかのほんね

発行：2021年3月11日　初版第1刷

編：北海道教育大学の学生26名＋來嶋路子
発行者：林下英二
発行所：中西出版株式会社
　　　〒007-0823　札幌市東区東雁来3条1丁目1-34
　　　TEL　011-785-0737　FAX　011-781-7516
印刷：中西印刷株式会社
製本：石田製本株式会社
落丁・乱丁本は、お取り替えいたします。

ISBN　978-4-89115-393-9